Emmanuè

Vendredi soir

Gallimard

Voilà. Il ne restait plus rien. Tout était emballé. Les murs nus et les cartons entassés faisaient paraître les deux pièces plus petites encore, et plus bas le plafond. Comment avait-elle pu vivre si longtemps dans si peu d'espace ?

Laure se laissa tomber sur son lit. « Dong », fit le sommier. Elle sourit. Demain soir, elle se coucherait dans un lit qui ne faisait pas de bruit. Le lit de François. Plus jamais elle n'entendrait résonner ces ressorts déglingués.

Elle se leva, retomba. « Dong. »

Plusieurs fois. « Dong », « Dong », « Dong ».

Ce lit, elle l'avait acheté avec son premier salaire.

Il n'était que sept heures et elle avait faim.

Elle n'aurait pas dû accepter l'invitation de Marie et Bernard. Chez eux, on dînait tard, le temps de coucher les enfants, et peu, car Marie était au régime.

François refusait toujours d'y aller.

Et si elle se décommandait ? Elle déménageait demain. Ils comprendraient.

Laure s'empara du téléphone. Pas de tonalité. Elle avait fait couper sa ligne.

Elle soupira. Elle irait chez Marie et Bernard. Mais elle rentrerait tôt. Demain matin, les déménageurs seraient là à huit heures.

Des pieds à la tête, elle était couverte de poussière.

Elle prit un bain et se lava les cheveux.

Son séchoir était dans un carton, impossible de se rappeler lequel. Tant pis, elle sortirait avec les cheveux mouillés. Elle ne s'enrhumerait pas, elle en était sûre. Pas ce soir, pas la veille de son emménagement avec François.

Elle dévala les six étages. Demain, plus d'escaliers. Chez François, il y avait un ascenseur.

La lourde porte de l'immeuble se referma derrière elle.

Laure s'immobilisa sur le trottoir.

Elle leva les yeux vers les deux fenêtres, tout là-haut. Chez elle.

Depuis huit ans et pour une nuit encore, c'était chez elle.

Elle éternua. Il faisait froid. Elle courut vers sa voiture.

Elle mit le contact mais ne démarra pas. Elle régla le chauffage au maximum et attendit. Lorsque l'air fut chaud, elle pencha sa tête devant la soufflerie.

Peu à peu, ses cheveux séchèrent.

La chaleur commençait à lui donner mal au cœur, elle se redressa.

Elle poussa un cri. Il y avait un homme près de sa portière, tout près d'elle, et ses mains s'agitaient. L'une frappait contre la vitre, l'autre lui faisait signe d'ouvrir. Des mains pâles et gercées. Laure verrouilla sa portière. Les deux mains retombèrent. L'homme s'écarta de la voiture. Elle démarra.

Elle fut obligée de s'arrêter un peu plus loin, au feu rouge.

Elle regarda dans le rétroviseur. L'homme venait vers elle. Il la suivait. Il marchait sans se presser, les mains dans ses poches.

Le feu était toujours rouge. L'homme se rapprochait. Maintenant il courait presque. Une voiture devant elle, une autre à côté, elle ne pouvait pas avancer. Et ce feu rouge qui n'en finissait pas.

Elle se retourna. L'homme arrivait à la hauteur de la voiture qui se trouvait juste derrière elle. Laure ferma les yeux. La main gercée allait taper sur sa vitre. Elle croyait déjà l'entendre. Il y eut un violent coup de klaxon. Elle ouvrit les yeux. Le feu était vert. L'homme avait disparu.

Lorsque la voiture de derrière la dépassa, Laure le vit. Il était assis à côté du conducteur. Elle n'eut pas le temps de distinguer son visage mais il lui sembla que, tourné vers elle, il lui souriait. Elle se rangea en double file. Ses mains tremblaient.

C'étaient sans doute les deux cartons posés sur le siège arrière qui avaient attiré l'homme car ils portaient, en grosses lettres rouges, la marque d'un fabricant de matériel vidéo.

Pourtant, l'un contenait des livres à vendre, l'autre des vêtements à donner.

Dès lundi, elle s'en débarrasserait.

À quelques mètres, il y avait une cabine téléphonique.

Elle eut envie d'appeler François, d'entendre sa

12

voix. Mais à cette heure-ci, elle ne pourrait pas le joindre. Il devait être en conférence.

Laure alluma l'autoradio. Elle respira profondément. Les portières étaient verrouillées. Elle ne risquait rien. Il faisait bien chaud. Elle écoutait de la musique.

C'était vendredi et elle allait dîner chez des amis.

Et demain, pour la première fois de sa vie, elle vivrait avec quelqu'un. Elle monta le son.

Ses mains avaient cessé de trembler. Elle redémarra.

Elle n'aurait pas dû passer par là. La circulation était complètement bloquée. Laure haussa les épaules. Elle n'était pas pressée d'arriver chez Bernard et Marie. Et puis ces encombrements lui permettaient de profiter de sa voiture. La semaine prochaine, elle s'en séparerait. Pourquoi la garder ? Celle de François était plus puissante, plus confortable. Laure irait travailler en métro. De chez François, c'était direct.

Elle fit glisser ses doigts tout autour du volant et posa sa main sur le levier de vitesse. La voiture de François avait la direction assistée et elle était automatique. Laure n'aimait pas la conduire.

La musique s'interrompit pour les informations. Laure se figea.

La grève.

Elle avait oublié la grève.

Toute la journée, elle était restée chez elle. Elle s'était occupée de son déménagement, et elle avait oublié la grève des transports. Sinon elle n'aurait jamais pris sa voiture.

Soudain, elle repensa à l'homme. Il ne voulait pas l'agresser, il ne voulait rien lui voler. Il faisait de l'auto-stop. Il avait beaucoup marché, il était épuisé. Et elle, calfeutrée dans sa voiture bien chauffée, elle avait eu peur de lui et elle l'avait laissé dehors, dans le froid. Elle revit les mains gercées. Comment avait-elle pu être aussi stupide, aussi timorée ?

Cet homme avait dû la trouver ridicule. Et lorsqu'il lui avait souri, c'était pour se moquer d'elle. Heureusement, elle ne le reverrait jamais. Elle prendrait le prochain auto-stoppeur et, quelle que soit sa destination, elle l'y emmènerait.

Laure regarda autour d'elle. Ici, personne ne faisait du stop. Il eût été absurde de vouloir monter dans une voiture immobilisée. On allait bien plus vite à pied.

Elle introduisit une cassette dans l'autoradio et se mit à chanter tout en battant la mesure.

De la voiture voisine, une femme l'observait. Laure eut envie de lui faire une grimace mais elle se retint. Pas de provocation. Avec cet embouteillage, elles risquaient de rester longtemps côte à côte.

Elle cessa de gesticuler et tenta de chanter sans remuer les lèvres. La femme l'observait toujours. Laure éjecta la cassette et regarda fixement devant elle. « 16 Valve. » Pourquoi n'y avait-il pas de « s » à « Valve » ? C'était pourtant un pluriel. Elle poserait la question à François. Il saurait.

Elle alluma le plafonnier, ouvrit le carton de livres, en prit un au hasard.

Elle lut quelques pages, en prit un autre, et un autre encore. Pour quelles raisons avait-elle décidé de vendre ces livres ? Ces deux-là, elle ne les avait pas lus et celui-ci, elle s'en souvenait à peine. Il fallait les garder. Elle referait le tri. Quant aux vêtements, avant de les donner, elle les réessaierait tous.

15

La circulation reprenait.

À présent, les voitures allaient presque aussi vite que les piétons.

À une centaine de mètres d'elle, Laure remarqua un homme. Il était immobile. Sa silhouette, droite et figée au milieu de toute cette agitation, attirait le regard. Des gens marchaient, d'autres couraient. Tous bougeaient, sauf lui.

Il se tenait à côté d'un platane, les mains dans les poches. Mais il ne s'adossait pas à l'arbre comme l'eût fait un flâneur et, même de loin, Laure crut deviner, à travers le cuir épais de sa veste, ses bras raides et ses poings serrés. Il observait les voitures, toutes les voitures. Il plissait les yeux. Il cherchait quelqu'un, une femme sans doute. Ils s'étaient donné rendez-vous ici, à ce carrefour, pour ensuite rentrer ensemble, chez eux.

Les pauvres, avec ces encombrements, jamais ils ne se retrouveraient.

Laure n'était plus qu'à quelques mètres de lui.

Brusquement le visage de l'homme se détendit, ses mains jaillirent de sa veste et il s'élança sur la chaussée, dans sa direction. Il avait eu de la chance de retrouver celle qu'il attendait. Elle devait être juste derrière. Laure voulut se retourner pour la voir mais elle s'arrêta net. Il était là, contre sa vitre, son visage près du sien. Il lui demandait de l'emmener, elle n'entendit pas où. Elle ne réfléchit pas. Elle n'hésita même pas. Elle déverrouilla les portières et lui fit signe de monter.

— Excusez-moi. Je n'ai pas bien compris où vous alliez.

Il eut un geste vague.

— Plus loin... Déposez-moi là où vous voulez, n'importe où. De toute façon, ça me rapprochera.

Il boucla sa ceinture de sécurité.

Pendant un court instant, elle avait presque cru que c'était elle, Laure, qu'il attendait. Qu'elle était celle qu'il cherchait parmi des centaines de voitures. Elle s'était encore trompée. Il faisait du stop, tout comme l'autre. Et il était venu vers elle parce qu'elle le regardait. C'est tout.

Il ne semblait pas vouloir parler. Il s'était bien calé dans son siège. Il avait allongé ses jambes. Peut-être souhaitait-il dormir. Ses cheveux gris brillaient sous la lumière du plafonnier. Elle éteignit.

Malgré le bruit des moteurs et celui des klaxons, la voiture parut soudain silencieuse. Laure n'entendait plus que le souffle du chauffage et, tout près d'elle, à chacune des respirations de l'homme, les légers craquements du cuir de sa veste.

Pourquoi ces imbéciles s'acharnaient-ils à essayer de passer au feu rouge ? Ils bloquaient la circulation. Laure coupa le contact. À cette allure, elle n'arriverait jamais chez Bernard et Marie. Elle se massa la nuque et les épaules. Elle était fatiguée. Elle n'avait même plus faim, elle avait sommeil. Elle aurait aimé s'endormir maintenant, dans cette voiture calme et chaude, et ne se réveiller que demain.

Sa tête devint de plus en plus lourde. Elle n'allait pas s'endormir, c'était impossible. Jamais elle n'avait pu dormir assise. Pourtant ses yeux se ferment. Tout disparaît. Plus de poussière, plus de cartons, plus de déménagement et plus d'embouteillages.

Il n'y a plus qu'une odeur. Ou plutôt un mélange d'odeurs.

Lesquelles ? Peu importe. C'est une si bonne odeur.

Pourvu qu'elle ne se dissipe pas. Il ne faut pas respirer trop fort. Il ne faut pas bouger.

Surtout ne pas bouger.

— Ça va ?

Laure sursauta. L'homme lui secouait doucement le bras.

— Vous êtes sûre que ça va ?

Elle se redressa, cligna des yeux. Les voitures recommençaient peu à peu à rouler.

— Je ne sais pas ce qui m'est arrivé. Je crois que je me suis endormie.

À son tour, elle démarra.

— Une cigarette, pour vous réveiller ?

— Non merci, mais vous pouvez fumer, ça ne me dérange pas. Au contraire.

Il alluma une cigarette.

À cause de ses six étages, Laure avait arrêté de fumer huit ans auparavant mais elle aimait toujours autant le parfum du tabac blond.

Elle respira profondément.

Encore. Et encore.

Et elle cessa de respirer.

Voilà ce qu'elle avait senti en s'endormant, trois odeurs mêlées, tabac, cuir et eau de toilette. C'était l'odeur de cet homme.

Il entrouvrit sa vitre. La fumée s'échappa et avec elle, l'odeur. Laure frissonna. Il referma. Elle alluma la radio. On annonçait des bouchons, partout.

— Si vous préférez, je peux vous laisser ici. Vous irez plus vite à pied.

Il secoua la tête.

— Pas question de vous abandonner. Imaginez que vous vous endormiez encore... Il faut quelqu'un pour vous réveiller.

Elle voulut protester qu'elle n'avait plus sommeil, que sa fatigue était passée, mais il ne lui en laissa pas le temps.

— Je ne suis pas pressé. Déposez-moi là où vous allez, ce sera très bien.

Il lui sourit. Ses sourcils paraissaient presque noirs, ses yeux plus foncés encore. Elle sourit aussi.

— Je m'appelle Laure.

— Et moi, Frédéric.

Frédéric. Pour elle, ce prénom était celui d'un adolescent. Elle n'avait connu qu'un seul Frédéric, au lycée. C'était le garçon le mieux de la classe. Pourrait-elle s'habituer à appeler ainsi un homme aux cheveux gris ? Elle n'aurait d'ailleurs pas à le faire. Dès qu'elle serait arrivée chez Marie, il partirait. Il s'éloignerait, les mains dans les poches, et il disparaîtrait. Elle ne le reverrait plus.

Comment rentrerait-il chez lui ? En stop ? À pied ? Sa femme allait s'impatienter, peut-être commencerait-elle à dîner sans lui. Ou alors elle s'inquiéterait et essaierait en vain de s'occuper tout en guettant les bruits de la cage d'escalier. Non. Il venait de dire qu'il n'était pas pressé, cela signifiait que personne ne l'attendait. Cet homme était seul.

Tout à l'heure, il pousserait la porte d'un appartement désert, et lorsqu'il accrocherait sa veste de cuir dans la penderie, les cintres vides s'entrechoqueraient un instant, seul bruit dans le silence.

Laure décida de mettre de la musique.

Les cassettes étaient rangées dans la boîte à gants, juste devant lui. Elle tendit le bras et se pencha légèrement. De plus près, l'odeur était encore meilleure.

Elle se pencha davantage.

Elle eut soudain envie de lui demander le nom de son eau de toilette, pour François, mais elle n'osa pas.

Et puis c'était inutile. François ne fumait pas. Il ne portait jamais de cuir. Sur lui, l'odeur ne serait pas la même.

Laure régla le volume de l'autoradio, assez fort pour bien entendre la musique, assez bas pour pouvoir parler.

Parler, mais de quoi ? Des grèves ? Du froid ? Que dire à un inconnu ? Elle ne savait pas. Pourtant, au laboratoire, elle parlait toujours avec les patients. C'était simple. Avant de serrer le garrot, elle posait une question, n'importe laquelle, et la conversation s'engageait. Les yeux fixés sur la seringue qui s'emplissait de sang, Laure voyait rarement les visages. Mais elle écoutait et elle répondait. Et parfois, juste au-dessus de l'aiguille, le pli d'un avant-bras paraissait lui sourire.

Elle monta le son. Les yeux mi-clos, il écoutait la musique. De toute évidence, il ne tenait pas à parler.

Mieux valait se taire.

Au prochain carrefour, il faudrait prendre à droite. Elle devait se dépêcher de changer de file. Il déboutonna sa veste et alluma une autre cigarette.

La tête renversée en arrière, il soufflait doucement la fumée vers le plafond. Il profitait de ce
moment de calme et de chaleur. Mais dès qu'ils
auraient quitté le boulevard, la circulation de-
viendrait moins dense et bientôt Laure se gare-
rait dans la rue où habitait Marie. Ils se sépare-
raient sur le trottoir de cette rue sombre et
toujours déserte. Il reboutonnerait sa veste, relè-
verait son col et, lorsqu'il lui dirait au revoir, ce
ne serait plus de la fumée qui s'échapperait de
ses lèvres, mais de la buée.

Laure soupira. Comment, changer de file quand
les voitures n'avancent pas ? Jamais elle ne par-
viendrait à tourner à droite.

Il marquait la mesure en tapotant son briquet
sur son genou. Ici, il se sentait bien.

Elle ne le laisserait pas s'en aller tout seul dans
le froid. Elle lui proposerait de venir avec elle
dîner chez Bernard et Marie. Il refuserait, par
crainte de déranger. Mais elle insisterait, la
main posée sur son bras, sur le cuir encore tiède
de la chaleur de la voiture. Et il accepterait.

Elle braqua. Des klaxons retentirent. Elle s'en
fichait. L'une après l'autre, presque au rythme
de la musique, ses mains se déplaçaient sur le

volant. Bras, épaules, dos, ses courbatures avaient disparu. Chacun de ses muscles travaillait. Elle n'était plus fatiguée. Elle avait faim. Personne ne l'empêcherait de passer.

Elle réussit.

— Bravo...

Et il ajouta quelques mots qu'elle n'entendit pas à cause de la musique, sans doute un compliment sur sa manœuvre.

Avant de l'inviter, il faudrait prévenir Marie. Se souviendrait-elle du Frédéric qui était dans leur classe ? Sûrement pas. Elle ne se souvenait de rien. Depuis qu'elle vivait avec Bernard, elle semblait avoir tout oublié de son passé. Avait-elle encore du plaisir à voir Laure ? Ce n'était pas certain. Avant, elles étaient inséparables. Elles se racontaient tout. À présent, elles n'avaient plus rien à se dire.

D'ailleurs, il ne leur arrivait plus rien.

Voilà le carrefour. À droite, la rue paraissait dégagée.

Laure s'arrêterait devant la prochaine cabine téléphonique.

Marie rajouterait un couvert en pensant au poisson, trop petit pour une personne de plus.

Laure s'apprêta à tourner.

Il écrasa sa cigarette dans le cendrier du tableau de bord.

Chez Marie, il n'aurait pas le droit de fumer, à cause du bébé.

Elle n'avait jamais remarqué combien le clignotant était sensible. Elle le toucha à peine, juste un frôlement de l'index, et il s'éteignit.

Elle ne tournerait pas à droite.

Elle n'irait pas chez Bernard et Marie.

Derrière elle, on klaxonna, mais elle n'entendait que la musique.

Devant elle, le boulevard était bloqué.

Elle se laisserait porter par l'embouteillage. Jusqu'où ? Elle n'en savait rien.

Il se tourna vers elle.

— Vous êtes sûre que vous voulez aller tout droit ? Je croyais que...

— Non, c'est plus court par là.

Pourvu qu'il ne lui demande pas ou elle se rendait exactement. Que répondrait-elle ?

Sans doute commençait-il à en avoir assez de perdre son temps dans ces encombrements.

Il se redressa. La lueur vive d'un phare fit scintiller une mèche de ses cheveux. Il les avait lavés aujourd'hui, ça se voyait. Il avait un rendez-vous. Voilà pourquoi il s'était aspergé d'eau de toilette. Il allait rejoindre une femme, plus tard. Il n'était pas pressé. « On se retrouve après le dîner. » Peu importe qui rentrerait le premier. L'autre se glisserait dans le lit, mains et visage froids contre le corps tout chaud.

Comment avait-elle pu croire qu'il était seul ?

Il défit sa ceinture de sécurité.

Seul ou pas, quelle différence ? Il n'était qu'un auto-stoppeur qu'elle avait ramassé au hasard et qu'elle ne reverrait pas.

Puisqu'il voulait s'en aller, qu'il s'en aille. Elle ne le retiendrait pas.

Il se pencha en avant, se souleva. Il tira sur sa manche gauche et dégagea son bras.

Il ne partait pas, il enlevait sa veste.

Il la posa derrière, sur le carton de livres.

« Clic. » Il avait rebouclé sa ceinture.

Il restait.

Elle s'aperçut alors qu'elle avait chaud, elle aussi. Elle retira son manteau et l'étendit sur la veste de cuir.

Laure recula son siège. La nuque calée contre l'appuie-tête, elle étira ses bras et allongea ses jambes.

L'odeur n'était plus tout à fait la même, moins de cuir, davantage d'eau de toilette, autant de tabac, mais elle restait toujours aussi bonne.

Laure frotta doucement sa joue contre le velours synthétique. Elle était bien ici, mieux que chez Marie, mieux que dans ses deux pièces encombrées de cartons, mieux que chez François sans François.

Ce soir, c'était ici, dans cette voiture, qu'elle se sentait vraiment chez elle.

Elle regarda au-dehors et sourit. Elle souriait à ce boulevard qui l'emportait, à tous ces gens et à leurs voitures, immobiles comme la sienne. Elle souriait à sa vie qui changerait demain, à François.

Et elle souriait aussi à l'odeur de cet homme assis tout près d'elle.

Il portait un pull-over à col roulé noir, si noir que la ceinture de sécurité qui barrait son torse en paraissait presque grise.

Le col montait haut. Il soulignait le contour de sa mâchoire et donnait au-dessous de son menton la forme parfaite d'un triangle.

Et sur le côté, un triangle encore, plus petit, entre le lobe de l'oreille et la naissance des cheveux.

Laure soupira. Au creux de son estomac, il y avait comme un vide. Il lui manquait quelque chose. Elle avait faim, elle avait soif, mais ce n'était pas cela. Quoi alors ?

Une cigarette. Pour la première fois depuis des années, elle avait envie d'une cigarette. L'aspiration profonde, et la fumée qui envahit la bouche, la gorge, tout le corps, et qui reflue vers les lèvres. Voilà ce qu'elle voulait. Une cigarette. Elle n'avait qu'à lui en demander une.

Et si elle toussait ? Elle n'avait pas fumé depuis si longtemps. Elle risquait même d'avoir un malaise, surtout à jeun.

Mieux valait attendre. Elle fumerait après le dîner. Le dîner ? Elle n'allait pas chez Marie, il n'y aurait pas de dîner.

Soudain elle se redressa. Ses doigts enserrèrent le volant.

Elle dînerait avec lui.

Il n'avait pas l'intention de partir, c'était évident. À chaque redémarrage de la voiture, au moindre coup de frein, sa tête ballottait un peu. Pourtant il ne dormait pas. Son cou, ses épaules et ses bras étaient complètement relâchés, Laure le sentait. Aucune tension, rien. Il se laissait conduire.

Elle eut la certitude qu'il était seul, qu'il n'allait nulle part, et qu'elle aurait pu l'emmener n'importe où.

— Est-ce que vous voulez dîner avec moi ?

— Oui.

Il avait répondu tout de suite, presque avant qu'elle n'ait fini sa phrase. Il s'était à peine tourné vers elle. Son corps n'avait pas bougé. Seule sa nuque avait pivoté contre l'appuie-tête, un mouvement rapide. « Oui. » C'est tout.

Il n'avait même pas semblé surpris.

Peut-être s'attendait-il à cette question.

Ou alors, quoi qu'elle lui eût proposé, il aurait accepté.

La voiture s'immobilisa encore. Un peu plus loin, devant, deux hommes se disputaient. Des jets de buée, drus, sortaient de leurs bouches. Un accrochage. C'était le moment d'appeler Marie. Laure coupa le contact. Elle attrapa son sac, ouvrit la portière, vite.

— Il faut que je téléphone. J'en ai pour une minute.

Elle courut jusqu'à une cabine. Ouf, elle avait de la monnaie. Elle composa le numéro. Ce ne serait pas occupé, Marie avait perdu l'habitude des longues conversations. Elle décrocha à la seconde sonnerie. Elle ne laissa pas à Laure le temps de parler. À cause de la grève, tous les invités s'étaient décommandés. Le dîner était annulé. Elle avait essayé de prévenir Laure mais sa ligne était coupée.

Laure sourit. Tout s'arrangeait.

Dès qu'elle eut raccroché, elle prit dans son sac du rouge à lèvres et du rose à joues et elle se maquilla. Heureusement qu'elle s'était lavé les cheveux.

Quelqu'un, un homme, tambourina contre la porte vitrée.

Laure quitta la cabine et se précipita vers la chaussée.

Brusquement, elle s'arrêta.

Où était sa voiture ?

Elle aurait dû se trouver là, à une vingtaine de mètres de l'accrochage. Les deux hommes étaient toujours au même endroit. Appuyés sur un capot, ils remplissaient un constat et continuaient à bloquer la circulation.

Elle remonta la file. Tout à l'heure, cette Golf blanche était derrière elle, et cette camionnette juste devant. À présent, il n'y avait plus rien entre elles, l'avant de la Golf touchait presque l'arrière de la camionnette.

Laure courut dans l'autre sens, dépassa les deux hommes.

Rien.

Sa voiture avait disparu.

Elle n'aurait jamais dû laisser la clef sur le contact.

Pourquoi ne s'était-elle pas méfiée de ce type ?

Parce qu'il sentait bon ?

Elle fit quelques pas sur le trottoir.

Ce n'était pas si grave. Cette voiture, elle avait l'intention de s'en séparer. Et elle n'aurait sans doute pas pu la vendre tant elle était vieille. En plus, elle ne contenait rien, que des vieux livres et de vieux vêtements.

Laure n'aurait plus besoin de tout ça.

Demain, elle vivrait avec François.

Mais comment avait-il fait pour sortir de cet embouteillage ?

Elle rejeta la tête en arrière et respira l'air froid.

Malgré les gaz d'échappement, il lui semblait encore percevoir l'odeur de cet homme.

Il serait déçu en ouvrant les cartons. Il pourrait toujours fouiller, il ne trouverait rien à garder.

Si, la jupe rouge. Elle était neuve. François ne l'aimait pas. Laure ne l'avait jamais mise.

Il la rapporterait sûrement chez lui. Il la donnerait à la femme avec laquelle il vivait et elle l'essaierait devant lui. Elle était sans doute très grande et très mince, la jupe serait trop large et trop courte. Il regarderait ses longues jambes et puis il s'approcherait d'elle.

Il glisserait sa main sous la taille un peu lâche. Il caresserait son ventre et ses hanches.

Laure secoua la tête. Il ne fallait plus penser à lui.

Maintenant, elle devait rentrer chez elle.

Elle irait à pied. Elle prendrait son temps. Personne ne l'attendait.

Autour d'elle, les gens marchaient vite. Ils couraient presque. Ils la dépassaient, ils la croisaient, la bousculaient parfois, et elle ne voyait pas leurs visages. Des cols relevés cachaient leurs joues, des écharpes recouvraient leurs nez et leurs bouches, des bonnets ou des casquettes dissimulaient leurs fronts.

Elle frissonna.

Pourquoi ne pouvait-elle pas appeler François ? Il serait venu la chercher et il l'aurait emmenée chez lui.

Mais il n'était pas là. Il n'aurait pas dû partir, pas aujourd'hui.

Elle était seule et elle avait froid.

Derrière elle, il y eut soudain des pas rapides, plus rapides que tous les autres. Quelqu'un courait.

Si seulement c'était François.

Elle sentit alors sur sa nuque le souffle d'une respiration haletante, légèrement sifflante, la respiration d'un fumeur.

Elle n'eut pas le temps de se retourner.

Une main saisit son bras et Laure cessa d'avoir froid.

— Mais où allez-vous? Je vous faisais des signes, j'étais sûr que vous m'aviez vu et hop! vous avez disparu.

Il la tira par le bras.

— Venez, vite. On ne peut pas laisser la voiture comme ça, au milieu de la rue.

Ils se mirent à courir et il lâcha son bras.

Ils couraient tout près l'un de l'autre, lui sans veste, elle sans manteau. Ils se frôlaient mais ne se heurtaient pas.

Ils doublaient les voitures, dépassaient les piétons. Ils allaient plus vite que tout le monde.

Sans doute à cause du froid et de la vitesse, il y avait des larmes dans les yeux de Laure.

— Par ici.

Il reprit son bras, l'entraîna dans une rue, à droite.

— Voilà la voiture, montez.

Il lui ouvrit la portière.

Ce n'est qu'après avoir bouclé sa ceinture de sécurité que Laure s'aperçut qu'elle était assise à la place du passager.

Il recula son siège, inclina le dossier et ajusta le rétroviseur.

À présent, c'était lui le conducteur.

Il démarra. Où l'emmenait-il ?

Laure saisit la poignée de la portière, la serra fort.

Du calme. Elle ne risquait rien. Avec les encombrements et les feux rouges, la voiture s'arrêtait sans cesse. Il serait facile de descendre. Et puis il y avait des gens partout.

Il alluma une cigarette et tira le cendrier.

Laure voyait cette fois son autre profil, le droit. L'implantation des cheveux était un peu différente, son front semblait plus dégagé. Mais sous l'oreille, juste au-dessus du col roulé, le triangle était le même.

Sa main quitta la poignée.

Elle n'avait rien à craindre de cet homme.

Il pouvait l'emmener où il voulait.

Elle se retourna et regarda, à travers la lunette arrière, le boulevard qui s'éloignait.

La voiture tourna à gauche. Et le boulevard disparut.

Ni hésitations ni à-coups, il conduisait bien.

Elle le lui dit.

Il sourit.

— J'ai été chauffeur de taxi.

Chauffeur de taxi.

Laure se voit assise derrière lui. Il ne parle pas, elle non plus. La radio est éteinte. Il n'y a que le ronronnement du diesel et, à intervalles réguliers, les déclics du compteur.

Elle ne voit de lui que ses cheveux, gris et drus, au-dessus de l'appuie-tête, et ses yeux et ses sourcils, noirs, dans le rétroviseur. Son siège est recouvert d'une housse de billes en bois. Ces billes sont dures. Laissent-elles des marques sur sa peau ?

Peut-être de légers creux, tout ronds, de la taille du bout des doigts, et qui peu à peu s'estompent. Pourvu que le trajet dure longtemps, ce taxi sent si bon.

Laure se redressa brusquement.

Assez. Il ne fallait plus penser à cette odeur.

Mais comment ne plus y penser ?

Quoi qu'il fasse, qu'il mette le clignotant, qu'il change de vitesse, qu'il tourne le volant, tout, boutons, manettes, leviers, s'en imprégnait.

Et pourquoi n'y penserait-elle pas ?

Tout à l'heure, cet homme s'en irait et demain, elle l'aurait oublié.

Elle ne le reverrait jamais.

Alors quelle importance ? Pourquoi ne pas profiter ce soir, juste ce soir, de son odeur ?

Demain, elle se serait sûrement dissipée et il n'en resterait plus aucune trace, sauf peut-être dans le revêtement des sièges et aussi le long de la ceinture de sécurité, là où elle s'était plaquée contre lui, contre son épaule, sa poitrine, et ses côtes.

Laure respira profondément.

Elle respirait cette odeur.

Les lèvres entrouvertes, elle l'aspirait.

Encore. Et encore.

C'était si bon.

Sans doute était-ce l'effet de son souffle. Sa vitre et le pare-brise, devant elle, se couvraient de buée. Laure ne l'effaça pas. Elle n'avait pas besoin de regarder au-dehors.

Elle ne savait ni où elle était ni où il l'emmenait, et elle s'en fichait.

Elle ferma les yeux.

Elle n'entendit plus rien, ne vit plus rien.

Alors elle sentit, dans sa bouche, un goût de tabac blond, d'eau de toilette et aussi de cuir, le goût de cet homme.

Ne pas bouger. Rester ici.

Ne pas boire, ne pas manger, ne pas fumer.

Que rien ne vienne chasser ce goût dans sa bouche.

La voiture s'arrêta. Il ne coupa pas le moteur. Ce n'était qu'un feu rouge.

Un déplacement d'air, une bouffée d'odeur. Il s'était tourné vers elle.

Laure n'ouvrit pas les yeux.

Il la regardait, elle en était certaine.

Il croyait sûrement qu'elle dormait et il l'observait.

Il était immobile, il veillait à ne faire aucun bruit. Elle ne l'entendait même pas respirer.

À travers ses paupières closes, elle devina qu'il faisait très sombre.

Que distinguerait-il dans cette obscurité ?

Ses cheveux propres qui brillaient et son profil gauche, le meilleur ?

Sa tête était légèrement rejetée en arrière, il pourrait suivre la ligne claire de son cou jusqu'à l'échancrure du pull-over.

Remarquerait-il que la ceinture de sécurité passait entre ses seins et les faisait saillir ?

Ses paupières vibraient. Difficile de ne pas ouvrir les yeux.

En tout cas, il verrait ses jambes. La texture satinée de ses collants scintillait un peu. Lorsqu'elle les portait, François ne pouvait pas s'empêcher de les toucher.

Soudain, elle crut sentir un frôlement contre son genou, le contact rapide d'une main toute chaude.

Elle ouvrit les yeux.

Il l'avait effleurée en enclenchant la première vitesse.

Ce n'était rien. Il ne l'avait pas fait exprès.

Elle tira sur sa jupe et desserra la ceinture de sécurité.

Il conduisait, il ne faisait pas attention à elle.

L'avait-il regardée ? Elle n'en était plus vraiment sûre.

Pourtant, lorsqu'il était chauffeur de taxi, quand une cliente lui plaisait, il l'observait certainement dans le rétroviseur. Il pouvait tout à la fois la regarder et conduire. Peut-être même engageait-il la conversation. Elle posait alors sa main sur les billes de bois et se penchait vers lui pour mieux l'entendre. Elle respirait son odeur, il percevait son souffle. Ce qu'ils se disaient n'avait aucune importance. Seuls comptaient cette odeur et ce souffle. Il en oubliait presque l'adresse qu'elle lui avait donnée. Il n'était plus le chauffeur, elle n'était plus sa cliente.

Mais brusquement, elle disait « C'est ici ».

Il coupait le compteur. Elle sortait son portefeuille. Elle lui laissait un gros pourboire. Il la remerciait. C'était fini.

Il redémarrait.

Le taxi était libre, et lui, il était seul.

Laure haussa les épaules.

Pourquoi l'imaginait-elle seul ?

Il avait sûrement dû arriver qu'une de ses clientes, en se penchant vers lui, remarquât, par exemple, que le col roulé bâillait, permettant d'entrevoir bien plus qu'un simple triangle, le tendon qui va, oblique, de l'oreille jusqu'à la base du cou. Et cela suffisait à lui donner envie de rester.

Tant pis pour son rendez-vous. Elle inventerait une excuse, n'importe laquelle, de la fièvre ou un accident, on verra plus tard.

Elle reste, c'est décidé.

Elle lui demande de s'arrêter. Elle quitte la banquette arrière et vient s'asseoir à côté de lui, à la place où se trouve Laure en ce moment.

Elle pose sa main sur le levier de vitesse. Plus question de conduire.

Elle va très vite savoir si les billes de bois marquent la peau, et si, du bout des doigts, on peut en sentir les traces.

Le compteur tourne, tourne. Tout à l'heure, il indiquera une somme énorme et ils en riront ensemble.

Laure soupira.

Elle ne prenait presque jamais de taxi. Elle avait sa voiture, et celle de François.

François. Sa conférence devait être terminée. Sans ce déménagement, elle l'aurait rejoint et ils seraient en train de dîner, avec des dizaines de radiologues, dans une grande salle à manger d'hôtel. Sous la nappe, il lui caresserait les cuisses et elle oublierait la lumière vive des lustres et tous ces gens aux noms épinglés aux revers de leurs vestes.

Ici, il faisait noir. Et François était loin.

Elle passa sa main sur la vitre.

Où l'emmenait-il ?

Elle ne reconnaissait aucune de ces rues.

Elle n'aurait jamais dû laisser ce type la conduire jusqu'ici. C'était trop loin.

La voiture roulait plus vite à présent. Elle ne pourrait pas descendre. Et ces rues étaient désertes. Il n'y aurait personne pour venir à son secours.

Elle attrapa son manteau.

— Arrêtez-vous. Je veux sortir. Il faut que je rentre chez moi. S'il vous plaît, arrêtez-moi.

Il freina.

Elle ouvrit la portière.

Il lui saisit le bras. Il voulait la retenir. Il l'empêchait de partir. Elle essaya de se dégager.

— Hé, doucement. Calmez-vous. C'est votre voiture, c'est à moi de m'en aller.

Il la serrait fort, mais sans lui faire mal.

Elle sentait, sur son bras, la pression de chacun

de ses doigts, et leur chaleur. Elle ne bougea plus. Il la lâcha.

Il défit la ceinture de sécurité, prit sa veste de cuir et quitta la voiture.

Il se pencha dans l'encadrement de la portière.

— Salut. Et merci.

Et il s'en alla.

Une brève lueur, la flamme de son briquet, un petit nuage de fumée et puis plus rien. Il avait disparu au coin d'une rue.

Laure jeta son manteau à l'arrière et vint s'asseoir à la place du conducteur.

Elle avança son siège, redressa le dossier, réajusta le rétroviseur.

Elle resta un instant immobile, et sa main droite, lentement, glissa tout autour du volant.

Laure observa sa paume, la porta à son visage.

Elle la renifla.

L'approcha davantage.

Elle l'appuya contre son nez, contre ses lèvres.

Cette odeur, et ce goût.

Elle referma son poing et l'abattit sur son genou.

Pourquoi avait-elle paniqué ainsi ?

Pourquoi l'avait-elle laissé partir ?

Il n'était peut-être pas trop tard. Elle pouvait encore essayer de le rattraper.

Elle démarra.

Coup de chance, la rue qu'il avait prise n'était pas à sens unique.

Elle allait le retrouver, elle le savait.

Il faisait sombre, on n'y voyait rien. Elle alluma les phares.

Une femme, éblouie, leva le bras pour se protéger les yeux.

Laure remit les codes.

Des silhouettes emmitouflées. Un homme avec un chien, un couple, une autre femme.

Personne.

Où était-il ?

Il n'avait pas pu prendre le métro. À cause de la grève, la station était fermée.

Et pourquoi se serait-il engagé dans cette ruelle minuscule, ou dans cette voie privée ?

Elle se figea. Là-bas, une enseigne lumineuse éclairait la rue. C'était un café.

Ses mains étaient moites sur le volant.

La voiture roulait comme au ralenti, elle pénétra tout doucement dans la clarté tremblotante du néon.

Laure retint son souffle.

Il était là, debout au zinc. Il tournait le dos à la porte vitrée. Il paraissait seul dans ce café vide. Elle se gara plus loin, hors de la lumière.

François était absent, le dîner de Marie était annulé.

Personne ne l'attendait. Personne ne savait où elle se trouvait.

Ce soir, elle aussi, elle était seule.

Et elle était libre.

Vite, elle se retourna, fouilla dans le carton de vieux vêtements, et en sortit la jupe rouge. Elle était chiffonnée. Tant pis. Elle était si collante que, tendue sur ses fesses, ses hanches et ses cuisses, elle se défroisserait tout de suite.

De la taille aux pieds cachée sous son manteau, Laure changea de jupe.

Puis elle se dirigea vers le bar.

Elle s'arrêta à quelques mètres de la porte vitrée. Elle le voyait, de profil, toujours au comptoir. Il avait allumé une cigarette.

Aux jets saccadés de fumée qui sortaient de ses lèvres, Laure comprit qu'il riait.

Elle fronça les sourcils. Avec qui ?

Elle se rapprocha.

Il y avait un jeune homme, assis seul à une table, dos à la porte. Il portait un anorak, un jean délavé et des tennis. Ses cheveux étaient coupés court, la nuque en pointe. De légers tressaillements agitaient ses épaules. Il riait lui aussi.

Laure pénétra dans le café.

La porte se referma derrière elle.

Le jeune homme se retourna.

Ce n'était pas un jeune homme. C'était une fille. Elle était très jolie, et très jeune.

Sans cesser de rire, elle détailla Laure des pieds à la tête.

Laure baissa les yeux. Les escarpins noirs, le long manteau gris boutonné jusqu'au col. Elle se trouva moche, et vieille.

Elle n'avait plus qu'à partir. Il s'assiérait avec la fille et, leurs jambes se frôlant, jean contre jean, leurs visages de plus en plus proches, ils riraient d'elle.

Quelle importance ?

Elle, elle rentrerait chez elle, roulant vitres ouvertes pour que disparaisse l'odeur de cet homme.

Et elle ne le reverrait jamais.

Elle recula. La porte était là, froide contre son dos.

Elle leva les yeux.

Il n'avait pas bougé du bar mais il s'était tourné vers elle. Il l'observait.

C'était la première fois qu'elle le voyait ainsi, de face, et en pleine lumière.

Laure s'écarta de la porte. Elle ne s'en irait pas. Elle se redressa.

Pas question de partir. Elle n'était ni vieille ni moche. Sinon François aurait-il désiré vivre avec elle ?

Elle inspira profondément, déboutonna son manteau et s'avança vers lui.

Les pans du manteau s'écartèrent.

Elle le vit regarder ses jambes, ses genoux et ses cuisses. Qu'il la regarde. Elle était belle, elle le savait, François le lui répétait souvent.

Elle avançait sans hâte. Elle ne le quittait pas des yeux. Elle profitait de chaque pas qui la rapprochait de lui.

Soudain, elle sentit son odeur. Elle l'avait presque oubliée, depuis qu'elle avait vu son visage.

Encore un pas.

Elle était arrivée. Elle l'avait rejoint.

Ils se sourirent.

— Vous voulez boire quelque chose ?

— Un café.

Il appela le serveur.

Laure se regarda, vite, dans les chromes de la pompe à bière. Ça allait. Même ainsi déformée, elle n'était ni vieille ni moche.

— Deux cafés, s'il vous plaît.

Il lui toucha le bras.

— Venez, on va s'asseoir.

Il tira la table. Elle se glissa sur la banquette, il prit une chaise. Presque aussitôt, la fille se leva. Elle se dirigea vers le comptoir.

Il la suivit des yeux dans la glace qui recouvrait le mur, derrière Laure. Elle voyait son regard. La fille sortit un billet de sa poche. Elle payait, elle s'en allait, tant mieux.

— Je peux avoir de la monnaie, pour le flipper ?

Laure soupira.

La fille enleva son anorak et traversa la salle. Sous son pull-over, elle ne portait rien.

Elle propulsa la bille, plaqua ses mains contre les flancs de la machine et commença à jouer.

Pourquoi ne parlait-il pas ?

Tout à l'heure, il riait avec cette fille qu'il ne connaissait que depuis quelques minutes.

Avec Laure, rien.

Ils étaient restés côte à côte dans la voiture, longtemps, et il ne lui avait rien dit. Il s'était ennuyé avec elle.

Et maintenant, il attendait avec impatience qu'elle parte.

À peine aurait-elle disparu qu'il s'approcherait de la fille, si près que se répercuterait dans son corps chaque secousse qu'elle donnerait au flipper.

Le serveur apporta les cafés.

Laure saisit sa tasse sans mettre de sucre. Inutile de perdre du temps. Elle commença à boire et faillit tout recracher. Elle s'était brûlé la langue.

— Vous êtes complètement folle, ce café est bouillant.

— Humm...

Ça faisait mal.

Il se pencha vers elle.

— Montrez-moi ça.

Elle secoua la tête.

— Non, c'est fini.

Il se pencha davantage.

— Vous êtes pressée ? Il faut que vous partiez ?
Les yeux noirs, les sourcils noirs, et cette odeur.
— Non.
— Alors doucement. On a tout le temps.
Il repoussa sa chaise et se leva.
Au bar, il demanda de l'eau, bien froide.
« On a tout le temps. » Il ne voulait pas qu'elle s'en aille.
Et il ne s'intéressait pas à la fille.
Elle n'était d'ailleurs pas si jolie. Elle avait de trop petits seins. Elle était maigre. Elle n'aurait pas plu à François.
Il revint avec un verre d'eau plein de glaçons.
— Buvez, ça va vous faire du bien.
Elle but un peu, reposa son verre.
On n'entendait que le flipper, des bruits électroniques de rafales de mitraillette, ou d'explosions.
Elle chercha quelque chose à dire et renonça.
À quoi bon se forcer ? Elle ne s'ennuyait pas, alors pourquoi s'ennuierait-il, lui ?
Il enleva sa veste de cuir et Laure eut un léger sourire.
Ils avaient tout leur temps.
Il alluma une cigarette. Sa bouche ne se crispait pas sur le filtre, elle le serrait à peine.

Laure remarqua, à droite, sur sa lèvre supérieure, une petite trace de nicotine. Sans doute avait-elle un goût amer.

À chaque bouffée, des cendres s'échappaient de sa cigarette, voletaient, et venaient se poser, minuscules taches claires, sur le pull-over noir. Il ne fit rien pour les enlever.

Soudain, Laure inspira. Elle gonfla ses joues et souffla. Elle souffla sur lui. Et hop, les cendres s'envolèrent et disparurent. Elle resta un instant immobile. Elle n'osait pas le regarder.

Qu'est-ce qui lui avait pris ?

C'est alors qu'elle l'entendit rire. Elle leva les yeux.

Il riait.

Elle pensa brusquement à son appartement vide, au congrès de François, au dîner de Marie et au froid dehors, et elle se vit dans ce café illuminé, face à cet homme qu'elle ne connaissait pas et qui, tout en riant, paraissait lui sourire.

Alors, elle aussi, elle se mit à rire.

Les rafales de mitraillette s'arrêtèrent. La fille avait interrompu sa partie. Elle les observa un moment.

Peut-être s'aperçut-elle qu'il riait davantage avec Laure qu'avec elle, car elle haussa les épaules, et se retourna vers le flipper.

Les explosions reprirent.

Il ne riait plus. Il regardait Laure.

Elle se figea peu à peu. Elle se sentit rougir et baissa les yeux. Elle commença à transpirer mais elle n'osa pas enlever son manteau, pas tant qu'il la fixerait ainsi.

Elle prit son verre. Il ne restait plus d'eau. Elle fit glisser un glaçon sur le bout de sa langue, là où elle s'était brûlée, puis elle le promena contre l'intérieur de ses joues, contre son palais, contre ses lèvres.

Ça faisait du bien.

Mais sa bouche était si chaude que le glaçon fondit presque tout de suite. Une gorgée, une deuxième, et plus rien.

— Excusez-moi. Je reviens.

Il se leva et se dirigea vers l'escalier. « Toilettes téléphone ».

Elle retira son manteau. Sous son pull-over, sa peau était toute moite.

Il remontait déjà. Laure l'entendit demander de la monnaie au serveur.

Et il redescendit.

Il allait téléphoner.

Laure soupira.

Comment avait-elle pu croire que cet homme était seul ?

À peine était-il entré dans ce café qu'une fille riait avec lui. Une autre l'attendait certainement quelque part. Et en ce moment, il la prévenait qu'il serait bientôt chez elle. Ou chez eux.

Le revoilà. Son coup de téléphone a été rapide, juste quelques mots. « C'est moi, j'arrive. » Inutile d'ajouter « Je t'embrasse », cela va de soi.

Laure se leva à son tour.

Elle non plus, elle n'était pas seule. Elle allait appeler François. À cette heure-ci, elle pourrait le joindre, on irait le chercher dans la salle à manger de l'hôtel. Elle lui dirait qu'il lui manquait, qu'elle avait hâte d'être à demain.

Elle descendit l'escalier, et entra dans la cabine. Elle décrocha, s'apprêta à introduire une pièce dans la fente.

Mais où ? Elle fronça les sourcils.

Cet appareil ne prenait que les cartes, pas les pièces.

Laure regarda autour d'elle.

Pourquoi donc demander de la monnaie ?

Elle poussa la porte des toilettes.

Tout à côté du lavabo, il y avait un distributeur automatique de préservatifs.

Il fonctionnait avec des pièces.

Elle resta plantée là, sans un geste, à regarder la petite cavité métallique où tombent les pochettes.

Lorsque enfin elle se décida à bouger, elle se vit dans la glace.

Elle s'aperçut alors qu'elle souriait.

Tout son visage souriait.

Ses joues étaient rouges, sa bouche aussi. Près des commissures de ses lèvres se creusaient des fossettes que jamais encore elle n'avait remarquées.

Et sa gorge luisait.

Laure ne se reconnaissait plus.

Elle ouvrit le robinet, et, toujours sans se quitter des yeux, elle passa et repassa lentement ses paumes sur le gros savon jaune fixé au mur.

Elle se rinça. L'eau lui sembla très froide.

Après s'être frotté les mains sous le séchoir, elle tira sur l'encolure de son pull-over et laissa un instant l'air chaud souffler sur sa peau.

Le lainage se gonfla et Laure parut soudain énorme. Ça la fit rire.

Allons, il était temps de remonter.

Et de rejoindre Frédéric.

Devant la cabine, elle eut une brève hésitation. Non, elle n'appellerait pas François. Il n'aimait pas le téléphone et serait sûrement agacé qu'elle le dérangeât en plein dîner alors qu'elle n'avait rien d'important à lui dire.

Elle grimpa l'escalier quatre à quatre.

Les bruits du flipper avaient cessé. La fille était partie.

Frédéric avait remis sa veste.

Elle s'approcha de lui. Il avait payé les cafés, le ticket était déchiré.

Il leva les yeux vers elle.

— On s'en va.

Elle enfila son manteau.

Déjà le serveur empilait les chaises sur les tables. Le café allait fermer.

À peine furent-ils dehors que l'enseigne lumineuse s'éteignit.

Il releva le col de sa veste.

Elle mit ses gants de laine.

Il lui prit le bras.

— Marchons.

Ils marchèrent.

Laure voyait, sur sa manche, la main de Frédéric, pâle, presque blanche, sûrement glacée.

Avait-il suivi son regard ? La main bougea, se déplaça, et lentement descendit le long de son bras.

Il y eut du froid sur le poignet de Laure.

Les doigts de Frédéric s'insinuaient à l'intérieur de son gant.

La laine se distendait, elle serait juste assez large pour deux.

Ce fut le pouce qui, le premier, se glissa contre celui de Laure. Les autres doigts progressaient sur sa paume.

Enfin, de l'index à l'auriculaire, tous s'immobilisèrent.

Chacun avait trouvé sa place.

Laure et Frédéric continuèrent à marcher ainsi, paume contre paume, phalanges contre phalanges.

Ils balançaient entre eux cette grosse main.

Mais lorsqu'ils s'arrêtèrent, et qu'ils se tournèrent l'un vers l'autre, le gant les gêna.

Ensemble, leurs mains s'en dégagèrent.

Il tomba par terre, ils ne s'en aperçurent pas.

Ils s'embrassaient.

D'abord les lèvres, doucement.

Laure sourit. Oui, la petite tache de nicotine avait un goût amer.

Puis leurs dents se heurtèrent et elle cessa de sourire. La bouche de Frédéric était si chaude. Laure chancela, il la retint.

Ils s'appuyèrent contre quelque chose. Une porte ? Un mur ? Ils ne voyaient rien, ils avaient fermé les yeux.

Ils se serraient l'un contre l'autre, ils ne pouvaient plus bouger. Et ils s'embrassaient.

Leurs bouches s'ouvraient, s'ouvraient, ils s'embrassaient encore et encore, plus loin, et plus fort.

Et puis Frédéric déboutonna le manteau gris.

Ses lèvres abandonnèrent les lèvres de Laure et descendirent le long de son cou.

Elle rejeta la tête en arrière.

Ses mains ouvrirent la veste de cuir et se glissèrent sous le pull-over noir de Frédéric, sur son dos, sur sa peau.

Sa peau.

Soudain, tout près, un chien aboya.

Ils s'écartèrent l'un de l'autre et aussitôt, l'air froid s'engouffra entre eux.

Laure frissonna.

Elle avait oublié qu'ils étaient dans la rue, et que c'était l'hiver.

Ils se remirent à marcher.

Pas longtemps. Ils ne firent que quelques pas. Déjà ils s'arrêtaient, recommençaient à s'embrasser.

Une rue, une autre.

Leurs bouches ne parvenaient plus à se quitter.

Laure avait perdu son gant. Quelle importance ? Sa main était bien au chaud, dans la poche de la veste de cuir, ses doigts mêlés aux doigts de Frédéric.

Elle ne savait ni où elle allait ni où elle était. Elle ne voyait rien que le visage de Frédéric qui grandissait lorsqu'il s'approchait du sien et rapetissait quand il s'en détachait.

Parfois même, lorsque de ses mains il lui enserrait la tête, elle n'entendait plus rien.

Et ce n'est qu'en sentant dans son dos la surface lisse d'une vitrine ou le relief d'une poignée de portière qu'elle s'apercevait qu'ils s'étaient arrêtés.

Leurs corps, toujours davantage, se plaquaient l'un à l'autre.

À présent, ils s'étreignaient en marchant. Et comme leurs pas s'accordaient, ils ne trébuchaient pas.

Brusquement Laure perçut un changement. Frédéric ne l'avait pas lâchée mais ses bras s'étaient desserrés, et bien qu'il n'eût pas cessé de l'embrasser, la pression de ses lèvres s'était faite plus légère.

Il observait quelque chose.

Laure se dégagea doucement, et suivit son regard.

De l'autre côté de la rue, il y avait un hôtel.

Frédéric se tourna vers elle.

Alors elle vit la buée qui s'échappait de sa bouche, de sa bouche toute chaude, et elle l'aspira. Ils restèrent un instant ainsi, immobiles au bord du trottoir.

Laure absorbait le souffle de Frédéric, cette brume blanche qui paraissait bien moins froide que l'air de la nuit.

Et lui, il regardait ses lèvres entrouvertes.

Enfin leurs mains se rejoignirent et d'un même pas, ils traversèrent la rue.

Collée contre la porte vitrée, une pancarte manuscrite signalait que, pendant la durée de la grève, l'hôtel réduisait ses tarifs.

Frédéric précéda Laure à l'intérieur.

L'entrée était minuscule.

Il n'y avait personne.

Frédéric toussa, fort.

Laure jeta un coup d'œil au tableau des clefs. Il n'en manquait aucune. Tant mieux. Ils seraient peut-être les seuls clients.

Une petite porte s'ouvrit et un jeune homme apparut. Il était très maigre.

Il se faufila dans l'étroit espace derrière le comptoir. Lorsque Frédéric lui demanda une chambre, il soupira.

— Toutes, si vous voulez. L'hôtel est vide.

Il désigna la pancarte.

— On a mis ça pour les gens qui ne peuvent pas rentrer chez eux à cause de la grève, mais ça ne marche pas. On n'a personne.

Il décrocha une clef, la posa sur le comptoir.

— Si vous pouviez me régler tout de suite, ça m'arrangerait.

Laure s'apprêta à ouvrir son sac. Frédéric l'en empêcha.

— Laisse.

Il paya et s'empara de la clef.

Le jeune homme fourra l'argent dans sa poche.

— C'est au premier étage. Pour la douche et les toilettes, vous verrez, c'est indiqué.

Il leur souhaita une bonne nuit et disparut.

Maintenant, ils étaient seuls.

Ils montèrent, lui devant, elle derrière.

L'escalier était si exigu que leurs coudes frottaient contre le mur, suivant la longue traînée sombre qu'avaient auparavant tracée d'autres bras et d'autres manches.

Dès que Frédéric empoignait la rampe, le bois vibrait sous les doigts de Laure.

Il grimpait les marches deux par deux.

Elle pouvait voir les grosses semelles de ses chaussures.

Le bas de son jean s'effilochait.

Elle s'immobilisa. Frédéric. Ce prénom lui allait bien. Elle le prononça à voix haute.

— Frédéric.

Il s'arrêta, se retourna.

Elle leva les yeux vers lui.

Des globes de verre dépoli diffusaient une lumière blanche.

Frédéric redescendit quelques marches.

Laure monta jusqu'à lui.

Ils se retrouvèrent l'un contre l'autre.

Elle lui sourit.

Et, sans se voir, elle sut que jamais encore elle n'avait souri ainsi.

Lorsqu'ils eurent atteint le palier, elle prit la clef des mains de Frédéric et, la première, elle s'engagea dans l'étroit couloir.

Ça sentait le détergent parfumé au citron.

Le jeune homme leur avait donné la chambre la plus proche des toilettes et de la salle de bains.

La porte était ouverte.

Laure alluma. Encore un globe blanc. Elle éteignit. La lampe de chevet suffirait.

Frédéric ferma les volets, puis il brancha le radiateur électrique. Aussitôt, une odeur de poussière brûlée se répandit dans la petite pièce.

Laure poussa le verrou.

Ça y est. Ils étaient chez eux.

Ils se regardaient, sans bouger, sans se sourire.

Il n'y avait aucun bruit.

L'hôtel était vide, la rue déserte.

Tout était silencieux.

Laure écouta. Elle n'entendit rien, pas même la respiration de Frédéric.

Il se rapprocha d'elle, la prit dans ses bras.

Et à nouveau, il y eut du bruit, plein de bruits. Les craquements de la veste de cuir, ses cheveux qui bruissaient sous les mains de Frédéric, et le brusque fracas lorsqu'il l'embrassa dans l'oreille. Ils basculèrent sur le lit.

Et ce fut le bruit d'une petite pochette de papier qui se déchire, et juste après, le vacarme de leurs deux souffles, d'abord distincts puis confondus, de plus en plus rapides.

Soudain Laure entendit des sons qu'elle ne connaissait pas.

Et pourtant, c'était de sa gorge qu'ils s'échappaient.

Elle essaya de les retenir mais elle n'y parvint pas.

Elle voulut presser sa paume contre ses lèvres, mais, plaquées sur les reins de Frédéric, ses mains refusèrent de bouger.

Alors il l'embrassa et, à l'intérieur de leurs bouches, il y eut comme un écho, puis bientôt ce furent leurs corps qui tout entiers résonnèrent, et elle ne pensa plus à rien.

Laure ouvrit les yeux.

Pourquoi faisait-il si noir ?

Elle avait chaud, elle manquait d'air. On étouffe, ici. Brusquement, elle sourit.

C'est parce que sa tête était enfouie dans la veste de Frédéric, et son visage plongé dans le pull-over noir, qu'elle respirait mal et qu'elle ne voyait rien.

Elle se dégagea.

La lumière de la lampe de chevet lui fit cligner les paupières. Elle referma les yeux.

Frédéric était bien moins lourd qu'elle ne l'aurait cru.

Elle pouvait remuer les jambes, les bras, il ne l'écrasait pas.

Il était si léger qu'elle sentait sa chaleur, mais pas son poids.

Elle bougea davantage. Il soupira et lui caressa le dos.

Le dos ? Elle rouvrit les yeux et s'aperçut que c'était elle qui était allongée sur lui et qui, de tout son poids, l'écrasait.

Elle voulut se redresser, il la retint.

À la racine de ses cheveux gris et sur son front, il y avait de la sueur. Du bout des doigts, Laure l'essuya, et puis, doucement, pour le rafraîchir, elle souffla.

Elle transpirait, elle aussi.

Ils n'avaient pas pris le temps d'enlever tous leurs vêtements.

Le manteau de Laure était coincé sous Frédéric, son bras gauche n'avait pas pu se libérer de sa manche. Quant à sa jupe, retroussée, elle tire-bouchonnait autour de sa taille.

Laure s'écarta de Frédéric et se débarrassa de son manteau. Puis, debout sur le lit, elle fit glisser sa jupe le long de ses jambes, et enfin, elle retira son pull et son soutien-gorge.

Frédéric la contemplait.

Elle resta un instant immobile sous son regard.

Tout à coup, il pointa son index vers le ventre de Laure.

Sur sa peau, juste à côté du nombril, l'un des gros boutons de la veste de cuir avait laissé son empreinte. Elle était si nette que l'on pouvait même distinguer les fils qui le fixaient, semblables à une croix de multiplication.

Laure retomba sur le lit, et Frédéric vint poser sa bouche sur cette trace toute ronde.

Puis il rajusta son jean, et quitta la pièce.

Laure regarda autour d'elle.

Des murs nus, deux cintres en fer pendus à une patère, une table de nuit, et c'est tout.

Elle s'étira. Les draps étaient propres, ils déga-
geaient un fort parfum d'eau de Javel. Et le radiateur chauffait.

Ils n'avaient besoin de rien d'autre.

Des canalisations gargouillèrent.

Elle fronça les sourcils. Pourvu que Frédéric ne
prenne pas de douche. Que son odeur ne parte
pas.

Ouf. Ce n'était qu'un robinet qui coulait.

Elle remarqua soudain les taches brunes sur le
couvre-lit. Des brûlures de cigarettes.

Il n'y avait pas de cendrier.

D'un bond elle se leva, passa son manteau et
sortit.

Elle appuya sur la minuterie.

Les portes des chambres étaient entrebâillées.

Laure trouva un cendrier dans la première, mais
une par une, elle visita les autres.

Il y en avait six. Elles étaient toutes pareilles à
la leur et pourtant elles lui parurent vides, froides, et sombres.

Elle frissonna. Le linoléum était glacé sous ses
pieds nus.

Elle regagna le couloir au moment où Frédéric
quittait la salle de bains.

Il venait de boire. Sa bouche était encore si fraîche et si humide que Laure en fut comme désaltérée.

Elle lâcha le cendrier.

Quand Frédéric se baissa pour le ramasser et lorsqu'il se releva, ses cheveux frôlèrent les cuisses de Laure.

Elle vacilla.

Ils rentrèrent dans leur chambre.

Il enleva son pull-over, et sa tête, un instant dissimulée sous la laine noire, réapparut, tout ébouriffée.

Des mèches retombaient n'importe comment sur son front tandis que d'autres, tels des épis, restaient dressées.

Laure s'approcha de lui.

Un mouvement des épaules et plus de manteau.

Elle était nue.

Il voulut l'enlacer. Doucement, elle le repoussa, le força à s'allonger.

Elle détacha sa ceinture, déboutonna sa braguette, et acheva de le déshabiller.

Une fois encore, il eut un geste vers elle.

Elle secoua la tête.

— Non. Laisse-moi faire.

Elle prit ses poignets, l'immobilisa.

Il ferma les yeux.

Elle demeura sans bouger. Le visage de Frédéric, son corps.

Par où commencer ?

Il retenait son souffle. Sa poitrine se soulevait à peine. Mais Laure pouvait percevoir, sous ses doigts, les battements rapides de son pouls.

Il attendait.

Elle se pencha sur son poignet, sur cette veine qui palpitait, et elle vit sa main s'ouvrir, et ses doigts se tendre.

Elle parcourut sa paume, suivit chacune des lignes qui la sillonnaient, puis elle remonta le long des phalanges, s'attarda aux plis des jointures, et atteignit la surface lisse des ongles, leur bord un peu coupant.

L'index et le majeur avaient un goût de nicotine, les autres un goût de savon.

Elle effleura la pulpe du pouce. Et la mordit légèrement. Tout le corps de Frédéric frémit. Ses doigts se mirent à remuer. Ils allaient et venaient entre les lèvres de Laure, glissaient sur ses dents, et, à mesure que sa bouche s'ouvrait davantage, ils caressaient l'intérieur de ses joues, et son palais.

Elle soupira.

Il retira sa main.

Laure se laissa aller contre lui.

Son odeur, sa peau.

Il respirait fort, à présent.

Elle se redressa, le visage juste au-dessus du ventre de Frédéric, ce ventre qui à chaque respiration se gonflait, et venait frôler sa joue.

Elle resta ainsi, immobile, à profiter de cette caresse, et à attendre qu'elle revienne.

Et puis elle reposa sa tête.

L'intérieur du nombril de Frédéric était salé.

Il frissonna.

Le velouté de l'aine, sous les lèvres de Laure, et tout de suite après, dans sa bouche, le préservatif, complètement lisse.

La respiration de Frédéric s'accéléra.

Ses reins se soulevèrent.

Tout son corps vibra, et Laure crut l'entendre gémir.

Elle ferma les yeux. Ses lèvres glissèrent de plus en plus vite, sa langue virevoltait, sa gorge était sans fond.

Et brusquement, il lui sembla que le foutre de Frédéric giclait dans sa bouche, et qu'elle l'avalait. Qu'elle avalait tout.

Ce n'est qu'un peu plus tard, lorsqu'ils eurent tous les deux repris leur souffle, qu'elle s'aperçut que seul demeurait sur sa langue un léger goût de caoutchouc.

Elle se laissa retomber en arrière.

Ils se retrouvèrent allongés tête-bêche.

Elle appuya sa joue contre le pied de Frédéric. Il avait une ampoule au petit orteil. À cause de la grève, il avait beaucoup marché.

Elle sourit. Sans cette ampoule, serait-il monté dans sa voiture ?

Elle l'effleura du bout des doigts. Demain ou après-demain, peut-être plus tard, s'en échapperait un liquide clair, à la saveur d'eau de mer.

Laure soupira. Demain, après-demain. Elle ne parvenait pas à y penser. Elle était si bien, ici.

Frédéric avait allumé une cigarette et la fumée de tabac blond emplissait peu à peu la chambre. Le cendrier, posé sur sa poitrine, montait et descendait à un rythme si régulier qu'à le regarder Laure sentait ses paupières se fermer.

Tout était calme, silencieux.

Et il y avait, contre sa joue, ce pied tout chaud et encore imprégné de l'odeur de cuir des grosses chaussures.

Frédéric éteignit sa cigarette, reposa le cendrier sur la table de nuit et ne bougea plus.

Il s'endormait.

Laure avait sommeil, elle aussi.

Ils allaient dormir ensemble, l'un contre l'autre, et demain, ils se réveilleraient en même temps.

Soudain elle ouvrit les yeux.

Il ne fallait pas dormir, sinon demain viendrait trop vite.

Elle se leva.

Elle ne prit pas son manteau. À quoi bon se couvrir ? Il n'y avait personne dans l'hôtel.

Elle sortit de la chambre sans faire de bruit.

Dès que l'eau du robinet se mit à couler, Laure s'aperçut qu'elle avait terriblement soif. Elle but, beaucoup, puis elle s'aspergea le visage et le cou. Elle n'avait plus sommeil.

Elle se regarda dans la glace. Pourquoi ses cheveux rebiquaient-ils ainsi ?

Elle se rappela alors les avoir séchés n'importe comment, dans sa voiture.

Et dire qu'à ce moment-là elle pensait aller dîner chez Marie.

Marie. Avant, elle aurait eu hâte de l'appeler pour lui parler de Frédéric, et tout lui raconter.

Plus maintenant.

Laure haussa les épaules. Elle croyait presque entendre le chahut des enfants près du téléphone. Et le brusque silence de Marie lorsqu'elle imaginerait, à la place de Frédéric, Bernard montant dans la voiture d'une inconnue et passant la nuit avec elle.

Laure ne parlerait pas de Frédéric à Marie. Ni à personne.

Elle était seule.

Tout à coup, les gouttes d'eau qui couraient sur sa peau lui parurent très froides.

Elle chercha une serviette. Il n'y en avait qu'une, elle était légèrement humide.

Était-ce celle que Frédéric avait utilisée ?

Laure la renifla. Oui.

Elle y plongea son visage, la fit lentement glisser sur son cou, sur ses seins.

Encore.

Le tissu éponge était un peu rêche. C'était bon.

Laure sourit.

Elle appliqua sa main bien à plat contre le mur. Frédéric était là, juste de l'autre côté. Il dormait. Elle allait le rejoindre et se coucher près de lui, dans la chaleur de son corps ensommeillé. Puis elle l'embrasserait, sur le front, ou sur les paupières, et il se réveillerait.

Demain était encore loin.

Elle quitta la salle de bains.

Frédéric ne dormait plus. Il était assis au bord du lit.

Laure s'approcha. Il referma ses bras autour d'elle, appuya sa tête contre son ventre.

Elle posa ses mains sur les cheveux gris, sur la ligne, fine, pâle, et toute duveteuse qui les partageait.

Ils demeurèrent ainsi, immobiles.

Soudain l'estomac de Laure gargouilla. Elle tenta de se dégager, elle ne voulait pas qu'il l'entende, mais il la retint. Il l'étreignit davantage.

Alors elle n'eut plus envie de bouger.

Frédéric se pressait contre elle. Elle sentait, sur sa peau, la forme exacte de son oreille, elle percevait les moindres vibrations de ses paupières closes.

Il écoutait le bruit de son corps, il entendait tout. Et il la serrait de plus en plus fort.

Qu'il reste là, comme ça. Qu'il ne la lâche pas. Il lui semblait à présent que c'était le visage tout entier de Frédéric qui, peu à peu, s'imprimait sur son ventre.

Et puis, il se redressa, ses bras se dénouèrent.

Un baiser, sonore, sur l'estomac de Laure, et il se leva.

— Viens, on va dîner. J'ai faim.

Elle n'avait rien mangé depuis hier soir, avec François.

C'était loin.

Elle aussi, elle avait faim.

Frédéric ramassa leurs vêtements et les posa sur le lit, ceux de Laure d'un côté, les siens de l'autre. Ils s'habillèrent.

Manteau, veste de cuir, ils furent prêts à sortir.

Juste avant de quitter la chambre, Laure regarda autour d'elle.

Le lit était à peine défait, ils ne s'étaient pas couchés dans les draps.

Aucune trace.

Il ne restait rien.

La pièce était vide.

Laure soupira.

Elle n'avait que les vêtements qu'elle portait et son sac. Rien qu'elle puisse laisser et retrouver, tout à l'heure, lorsqu'ils rentreraient.

Car ils reviendraient, elle en était sûre.

Ils allaient dîner au restaurant, leurs jambes se mêleraient sous la table, ils s'embrasseraient entre chaque bouchée et ensuite, ils reviendraient ici, chez eux.

L'odeur de Frédéric imprégnait les oreillers, le couvre-lit, et son cendrier était là, sur la table de nuit.

Même vide, cette chambre était la leur.

Elle ferma la porte à double tour, serra un instant la clef dans sa main et la glissa dans son sac.

Frédéric l'attendait.

Ils dévalèrent l'escalier. Ils pouvaient faire du bruit, ils étaient seuls.

Au moment où ils atteignirent l'entrée, le jeune homme surgit derrière le comptoir.

Il tendit à Frédéric un petit papier jaune.

— C'est le code, j'avais oublié de vous le donner. Sinon vous ne pourriez pas rentrer.

Frédéric plia soigneusement le papier et le mit dans la poche de son jean.

Ils sortirent. Il la prit par le bras et l'entraîna à droite. Il paraissait savoir où il allait, elle se laissa guider.

Ils marchaient vite. Laure se retourna. L'hôtel était déjà loin. Elle se serra contre Frédéric. Elle avait la clef, lui le code. Ils reviendraient.

La température avait baissé mais Laure ne boutonna pas son manteau.

Tant que demeurerait, au milieu de son corps, l'empreinte chaude du visage de Frédéric, elle n'aurait pas froid.

Ils débouchèrent sur une large avenue.

Aucune enseigne ne brillait. Tout était fermé.

Frédéric lâcha le bras de Laure, alluma une cigarette.

La nicotine sur ses doigts, sur sa lèvre.

Ils ne dîneraient pas. Quelle importance ? Ils allaient rentrer à l'hôtel, maintenant.

Ils firent encore quelques pas. Toujours rien.

Laure s'apprêtait à faire demi-tour lorsque Frédéric s'arrêta net.

— Regarde la lumière là-bas. Je crois que c'est un restaurant.

Laure le suivit. Il courait presque.

C'était une pizzeria, et elle était ouverte.

Un serveur les conduisit à une table et leur donna la carte.

— Je vous demanderais de choisir vite, parce

que le chef va bientôt partir. Le vendredi, d'habitude, on ferme plus tard mais là, avec la grève, on n'a pas beaucoup de monde. C'est normal, les gens, une fois qu'ils ont réussi à rentrer chez eux, ils ne veulent plus ressortir.

Frédéric prit le menu et le plaça au centre de la table afin que Laure puisse le lire. Puis il fouilla dans une poche de sa veste et en tira des lunettes. Il les mit. Elles lui allaient bien. La monture, métallique, était noire. Noire comme ses cils, ses sourcils, et ses yeux. La branche, d'un trait fin, lui barrait la tempe, soulevait légèrement ses cheveux et disparaissait derrière l'oreille, là où la peau est si douce.

François ne portait pas de lunettes. Il n'en avait pas besoin, il était encore trop jeune.

Le serveur attendait. Frédéric reposa la carte. Laure ne l'avait même pas regardée. Elle commanda tout comme lui. Hors-d'œuvre et pizza. Il demanda du vin.

— Tu en boiras ?

— Oui.

Il rapprocha sa chaise de la table et ses genoux rencontrèrent ceux de Laure. Il lui sourit, ses yeux se plissèrent au-dessus de la monture.

Il se pencha, elle aussi. Le souffle de Laure embua les demi-lunes. Leurs visages allaient se toucher lorsqu'il y eut un courant d'air froid. Ils se redressèrent.

Un couple venait d'entrer dans le restaurant.

La femme était vêtue d'un tailleur, l'homme d'un costume. Ils portaient tous les deux les mêmes chaussures de tennis. Ils semblaient fatigués. Ils avaient dû beaucoup marcher. Le serveur les installa à la table voisine.

Pourquoi si près alors que la salle était presque vide ?

La femme se laissa tomber sur la banquette et murmura qu'elle n'en pouvait plus. Le serveur lui tendit la carte. Elle secoua la tête, elle n'avait pas faim, elle ne voulait rien, juste être assise. L'homme, probablement son mari, haussa les épaules. Il commanda, pour lui, et le serveur s'éloigna.

Frédéric et Laure se regardèrent.

Ensemble, ils se levèrent.

Il tira sa chaise, elle poussa la table.

Ils firent signe au serveur qu'ils changeaient de place, et ils allèrent s'asseoir de l'autre côté de la salle.

Là, ils étaient seuls.

Frédéric enleva ses lunettes. Il attrapa Laure par la nuque, l'attira à lui, et l'embrassa.

Ils s'interrompirent lorsque le serveur leur apporta un pichet de vin et du pain.

Frédéric remplit les verres, leva le sien.

Ils trinquèrent.

Le bras de Laure resta en suspens.

Elle avait soif et elle allait boire avec Frédéric, elle avait faim et elle allait manger avec lui. Et après, ils rentreraient ensemble à l'hôtel.

Le cuisinier enfournait deux pizzas, exactement pareilles, les leurs. Le serveur revenait, posait entre eux le plat de hors-d'œuvre qu'ils partageraient.

Elle porta son verre à ses lèvres.

Ils buvaient le même vin, ils mangeraient les mêmes choses, leurs bouches auraient le même goût.

Frédéric s'empara des couverts.

Laure lui tendit son assiette.

— Je veux de tout.

Il lui donna de tout et se servit à son tour.

Ce moelleux, cette douceur, sur sa langue, contre son palais. Jamais auparavant, Laure n'avait remarqué la texture de la chair des poivrons grillés. On aurait dit l'intérieur d'une joue. Elle faisait durer chaque bouchée. Elle profitait du moindre morceau. Ils glissaient dans sa gorge, tout lisses. C'était bon.

Un grand bruit, à l'autre bout du restaurant, la fit sursauter. Elle lâcha sa fourchette. Frédéric se retourna.

La femme s'était levée, bousculant une chaise.

D'un pas rapide, elle traversait la salle.

Ils baissèrent la tête quand elle passa près d'eux. « Gruik gruik », ils entendirent ses tennis couiner contre le sol, et puis plus rien, elle était rentrée dans les toilettes.

Laure ne voyait le mari que de dos. Aux mouvements de ses coudes, elle devina qu'il mangeait, tranquillement.

Ils terminèrent leurs hors-d'œuvre, burent tout le vin.

La femme ne ressortait toujours pas.

Frédéric se leva.

— Il lui est peut-être arrivé quelque chose. Je vais voir.

Là-bas, l'homme n'avait pas bougé.

Laure demanda au serveur un autre pichet.

Il le lui apporta et débarrassa la table.

Pourquoi Frédéric ne revenait-il pas ?

La porte des toilettes s'ouvrit. C'était lui. Il se rassit.

— Tout va bien.

Il sourit.

— Tu sais ce qu'elle faisait ? Elle prenait un bain de pieds dans le lavabo. Elle a marché pendant des heures.

La femme sortit à son tour.

« Gruik gruik. » Laure la regarda s'éloigner. Sa démarche était plus légère. Elle se faufila jusqu'à la banquette sans rien heurter. Elle appela le serveur, désigna l'assiette de son mari. Elle avait faim, à présent, et elle souriait. Elle semblait belle.

Laure observa Frédéric. Il allumait une cigarette, remplissait les verres.

Un bain de pieds dans le lavabo. Elle avait dû remonter sa jupe, enlever ses collants. L'avait-il surprise ainsi, jambes et cuisses nues ? Et il était resté près d'elle, à bavarder, à la regarder. En équilibre, un pied par terre, l'autre dans le lavabo, elle s'était sans doute appuyée sur lui pour ne pas tomber.

Laure frissonna.

Il lui prit la main, la serra dans la sienne.

— Tu es glacée. Tu veux ma veste ?

— Non, merci.

Pas sa veste. Plus rien.

Elle se dégagea.

Elle but un peu de vin, respira à fond.

C'était décidé. Elle partirait juste après le dîner. Elle rentrerait chez elle. Il pourrait aller retrouver cette femme, ou la fille du café ou bien une autre, elle s'en fichait. Elle ne le reverrait plus jamais.

— Tu es toute pâle. Qu'est-ce qui ne va pas ?

— Rien.

Il se pencha vers elle.

Non. Il ne la toucherait pas. C'était fini. Elle se recula. La table les séparait, il ne pouvait pas s'approcher davantage et pourtant Laure voyait les yeux noirs s'agrandir, s'agrandir. Elle crut s'écarter de lui mais il ne s'éloigna pas. Au contraire. Il était là, tout près. Ses yeux étaient immenses.

Alors elle s'aperçut qu'il ne bougeait plus et que c'était elle qui tendait son visage vers le sien, vers son odeur, et vers ses lèvres.

Elle posa ses paumes sur les paumes ouvertes de Frédéric, et lentement, ses mains se glissèrent à l'intérieur des manches du pull-over noir.

Le léger relief des veines, le creux de la saignée du bras, la naissance du biceps bombé, ses doigts percevaient tout.

Elle ferma les yeux.

La bouche de Frédéric était plus tendre, plus moelleuse encore que les poivrons.

Un toussotement. Un parfum de pâte chaude.

Ils se redressèrent.

Le serveur attendait, une pizza dans chaque main.

— Excusez-moi. Attention, c'est brûlant. Bon appétit.

Dès qu'il eut disparu, Frédéric caressa la joue de Laure.

— Ça va mieux, on dirait.

— Beaucoup mieux.

La femme, là-bas, chipotait dans son assiette. Elle semblait à nouveau très fatiguée.

Et dire qu'à cause d'elle Laure avait failli partir. Elle inclina la tête de côté, pressant la main de Frédéric entre sa joue et son épaule.

Partir, elle ne parvenait même plus à y penser.

Soudain, elle se vit chez elle, avec lui. Il avait sûrement peu d'affaires, elles tiendraient dans la penderie, et tous les vêtements de Laure s'imprégneraient de leur odeur.

Ils partageraient la tablette de verre de la salle de bains. L'eau de toilette de Frédéric, sa mousse à raser, son after-shave, tout, bombe, stick, flacon, aurait la même marque, la même étiquette.

Il retira doucement sa main et commença à manger.

Sous la table, leurs jambes s'étaient rejointes.

Laure baissa les yeux vers son assiette.

Avec en son milieu un anchois presque horizontal, sa pizza, telle une bonne grosse figure, paraissait lui sourire.

Elle garderait l'appartement, cela devait être possible, personne n'était venu le visiter. Elle remonterait ses étagères, elle déballerait tous les cartons, rebrancherait chaque appareil, et elle ferait rétablir sa ligne de téléphone. Tout redeviendrait comme avant.

L'appartement était minuscule ? Tant mieux. Ils ne seraient jamais loin l'un de l'autre. Où qu'il se trouve, elle entendrait le moindre de ses pas, le bruit de son briquet.

Elle fronça les sourcils. Frédéric fumait beaucoup. Il aurait sans doute du mal à s'habituer aux six étages.

— Tu ne manges pas ?

Il avait déjà dévoré la moitié de sa pizza. Laure n'avait pas entamé la sienne.

Elle prit son couteau et sa fourchette.

Elle évita de couper l'anchois du milieu.

La pizza était bonne. Eût-elle été mauvaise que Laure ne s'en apercevrait pas. Ce soir, tout lui semblait bon.

Frédéric finit bien avant elle. Il alluma une cigarette.

Tout en fumant, il observait Laure. Il la regardait manger et boire, et ses yeux étaient aussi noirs, aussi brillants que les olives qui garnissaient la pizza.

Enfin, elle reposa ses couverts et, la tête rejetée en arrière, elle but son vin jusqu'à la dernière goutte.

Elle avait terminé.

Frédéric la fixait toujours.

Brusquement, il éteignit sa cigarette et saisit Laure par le poignet.

— Viens.

Il se leva, elle le suivit.

Ils entrèrent dans les toilettes. Dès que la porte se fut refermée, il poussa Laure contre le mur.

Elle eut juste le temps d'entrevoir, par terre, sous le lavabo, des éclaboussures. Le bain de pieds. Mais déjà, elle sentait les mains de Frédéric sur ses cuisses, sur ses hanches. Il retroussait sa jupe, baissait son collant et elle ne pensa plus qu'à déboutonner son jean, vite.

S'ils vivaient ensemble, il n'aurait plus besoin de mettre ces capotes.

Elle gémit, fort.

— Chut.

Il l'embrassa sur la bouche, la fit taire.

La tête lui tournait.

Soudain, sous ses pieds, il n'y eut plus rien. Où était le sol ? Elle s'agrippa à Frédéric. De tout son corps, il la plaquait contre le carrelage. Le sol était là, dans son dos, la faïence, froide sous ses reins, là où sa peau était nue.

Sans qu'elle s'en soit rendu compte, ils avaient dû se laisser glisser à terre.

Les lèvres de Frédéric, sa langue, parcouraient son cou, descendaient sur ses seins. Elle allait crier, elle ne pourrait pas s'en empêcher. Elle enfouit son visage dans le col roulé noir, pressa sa bouche contre l'épaule de Frédéric.

Sa respiration s'apaisa peu à peu.

Elle n'avait fait aucun bruit, elle en était sûre.

Frédéric s'écarta d'elle. Elle faillit tomber.

Ils étaient debout. Ils ne s'étaient pas allongés sur le sol.

Le carrelage, dans son dos, était celui du mur.

Elle toussa. Quelque chose lui chatouillait la gorge.

Des filaments de laine, ils venaient du pull-over de Frédéric.

Elle but un peu d'eau.

Chacun ajusta ses vêtements.

Ils relevèrent la tête au même moment et ils se virent dans la glace.

Laure et Frédéric. Frédéric et Laure.

Leurs reflets se sourirent.

Frédéric ressortit le premier.

Laure demeura seule. Ses joues étaient rouges, ses lèvres gonflées. Elle ne pouvait pas se montrer ainsi.

Elle se passa de l'eau sur le visage. Ce fut sans résultat.

Lorsqu'elle revint dans la salle, il lui sembla

que, le serveur, la femme, et les quelques autres clients, tout le monde l'observait. Elle se redressa. Quelle importance ? Elle ne connaissait pas ces gens, elle ne connaissait même pas ce quartier. Qu'ils la regardent, elle ne les reverrait jamais.

Elle se rassit en face de Frédéric.

Le serveur leur apporta la carte et, malgré elle, Laure baissa les yeux pour ne pas rencontrer son regard.

Frédéric ne remit pas ses lunettes. Il se contenta de tenir le menu à bout de bras. De toute façon, il ne voulait pas de dessert.

Ils commandèrent deux cafés.

Le restaurant était vide. Des clients venaient de sortir, d'autres enfilaient leurs manteaux, remontaient leurs cols.

Il ne restait plus que le couple aux chaussures de tennis.

Tout à coup, Laure eut froid. Sans doute était-ce parce que la porte avait été à plusieurs reprises ouverte.

Il y eut le bruit rauque du percolateur. Leurs cafés arrivaient. Elle referma ses mains autour de la petite tasse chaude.

Des pièces de monnaie tintèrent dans une soucoupe.

L'homme et la femme s'étaient levés. Ils s'en allaient.

Frédéric et Laure étaient les derniers.

Le serveur commença à nettoyer la salle.

Bientôt, lorsque son balai cognerait contre les pieds des tables voisines, il faudrait partir.

Frédéric but son café d'un trait.

Il avait l'air fatigué.

Et s'il décidait de rentrer chez lui ?

La raccompagnerait-il jusqu'à sa voiture ou la quitterait-il là, devant le restaurant, sur le trottoir de cette avenue déserte ?

Ni l'un ni l'autre.

Elle ne parvenait pas à l'imaginer chez lui, vidant ses poches, froissant et jetant ce papier jaune qu'il avait tout à l'heure si soigneusement plié, le code de l'hôtel, désormais inutile.

Non, ils ne pouvaient pas se séparer, pas maintenant.

Elle ne rentrerait pas chez elle, seule, dans son appartement vide, parmi les cartons. Elle ne coucherait pas dans son lit déglingué, elle ne respirerait pas l'odeur de la poussière.

Elle emprisonna entre ses jambes les jambes de Frédéric.

Ils resteraient ensemble.

Les mains de Laure s'étaient réchauffées. Elles avaient dû absorber toute la chaleur de la tasse car le café, lui, était presque froid. Tant pis. Il était fort, il l'empêcherait de dormir.

La nuit n'était pas finie.

À peine eut-elle reposé sa tasse que le serveur apportait l'addition.

Laure s'en empara la première.

— Cette fois, c'est moi.

Elle sortit son chéquier, prit un stylo. Brusquement, elle se figea, le regard fixé sur l'adresse qui apparaissait dans la découpe rectangulaire de la mince couverture. Son adresse, la même depuis huit ans.

Demain, elle en aurait une autre. Une autre adresse, une nouvelle vie.

Elle ôta le capuchon de son stylo et, comme toujours lorsqu'elle remplissait un chèque, elle jeta un coup d'œil à sa montre, au minuscule carré qui, à la place du trois, indiquait la date. Elle fronça les sourcils, regarda le cadran, les deux aiguilles.

Minuit était depuis longtemps passé. On était déjà demain.

C'est aujourd'hui qu'elle allait déménager.

Elle serra son stylo entre ses doigts et, appuyant fort la plume sur le papier, elle inscrivit la date d'hier, celle d'avant minuit. Celle de vendredi.

Et elle signa.

Puis elle détacha sa montre de son poignet et la fourra dans son sac.

Elle n'avait pas de monnaie, Frédéric laissa un pourboire.

Le serveur les remercia. Il avait repris son balai. Ils se dirigèrent vers la porte, évitant, au milieu du passage, un petit monticule de miettes, de poussière, et de cendres.

Ils se retrouvèrent dehors.

Laure regarda autour d'elle.

Pas une seule voiture, rien, personne. Comment Frédéric pourrait-il s'en aller ?

Il la prit par le bras. Ils se mirent à marcher.

Ils ne se quitteraient pas.

Peut-être parce qu'elle venait de dîner, Laure trouva qu'il faisait moins froid.

Comme tout à l'heure, elle se laissa guider. C'était déjà presque une habitude. Il pouvait l'emmener où il voulait, elle le suivrait.

Retournaient-ils vers l'hôtel ? Elle l'ignorait. Les yeux baissés, elle ne voyait que leurs pieds qui ensemble s'avançaient, grosses chaussures et escarpins toujours parallèles.

Pieds gauches, pieds droits, gauches, droits. Les paupières de Laure se firent lourdes. Elle était fatiguée, elle aussi. S'ils rentraient maintenant à l'hôtel, ils allaient sûrement s'endormir tout de suite, tous les deux.

Elle aurait dû prendre un autre café.

Elle appuya sa tête contre l'épaule de Frédéric. Il lâcha son bras, la tint par la taille, serrée.

Et pourquoi ne pas rentrer, et dormir ?

Ils se déshabilleraient et ils se coucheraient. Elle laisserait à Frédéric le côté de la table de chevet. Ils se glisseraient dans les draps, les remonteraient jusque sous leurs mentons. Ils seraient bien au chaud, blottis l'un contre l'autre, seuls dépasseraient leurs visages et, l'espace d'un court instant, le bras nu de Frédéric lorsqu'il éteindrait la lampe.

Ses yeux se fermaient. Elle ne voyait rien, elle n'entendait rien, pas même le bruit de ses propres pas.

Elle allait dormir avec lui.

Elle se redressa. Le bras de Frédéric avait abandonné sa taille. Elle cligna des yeux. La lumière, le petit papier jaune, ils étaient arrivés.

Elle avait la clef, elle monta la première. Frédéric était juste derrière elle. L'un à la suite de l'autre, leurs coudes frottaient contre le mur.

Deux tours dans la serrure, et la porte s'ouvrit. Le dessus de lit froissé, l'empreinte en creux de la tête de Frédéric au milieu de l'oreiller, le cendrier, c'était leur chambre.

Elle posa son sac et accrocha son manteau. Il suspendit sa veste et plaça ses cigarettes et son briquet sur la table de nuit.

Puis il s'approcha du radiateur.

— Ça ne te dérange pas si je baisse un peu le chauffage ?

— Non, au contraire.

Il se pencha et, la main devant la soufflerie, il tourna le bouton.

Laure l'observait. Chez elle, elle avait exactement le même radiateur, placé au même endroit, sous la fenêtre.

Soudain, elle regarda autour d'elle.

Petite, carrée, et basse de plafond, cette chambre ressemblait à la sienne.

Laure s'immobilisa.

C'était la sienne.

Elle était chez elle, avec Frédéric. Et comme tous les soirs, avant de se coucher, il baissait le chauffage. Car la nuit, ensemble, ils n'avaient jamais froid.

Frédéric alluma une cigarette et se laissa tomber sur le lit.

Laure crut presque entendre « Dong ».

Elle se rendit dans la salle de bains. Sans doute à cause des anchois, elle avait soif. Elle fit couler de l'eau et s'apprêta à boire lorsque, venant de la chambre, il y eut un choc, puis un autre. Elle sourit. Frédéric avait retiré ses chaussures. Il était en train de se déshabiller. Elle ferma le robinet, écouta. Plus rien.

Il enlève son pull-over, elle en est sûre. Son torse se découvre peu à peu. D'abord son ventre que la laine noire fait paraître plus blanc encore, puis à mesure que ses bras se lèvent, la surface légèrement ondulée des côtes, et le creux sombre des aisselles.

Pourquoi François ne portait-il jamais de col roulé ?

Laure s'assit sur le rebord de la baignoire.

François.

Elle plongea son visage dans ses mains. Elle perçut alors un faible tintement. La boucle de la ceinture de Frédéric venait de heurter le sol. Il avait enlevé son jean. Et maintenant, il allait se coucher. Elle aussi.

Vite, elle but un peu d'eau, se brossa les dents avec son index, et regagna leur chambre.

Il avait choisi le côté de la table de nuit.

Le bras replié derrière la tête, il observa Laure tandis qu'elle se déshabillait.

Dès qu'elle l'eut rejoint, il éteignit la lumière.

Et il ne bougea plus.

Le lit n'était pas très large. Ils étaient étendus côte à côte, et pourtant il lui semblait qu'ils étaient loin l'un de l'autre, si loin qu'elle ne l'entendait même pas respirer.

Elle voulut se rapprocher de lui mais elle n'osa pas. Peut-être était-il en train de s'endormir.

— Laure.

Elle tressaillit.

— Oui.

C'était la première fois qu'il l'appelait par son prénom.

Qu'allait-il lui dire ? Elle retint son souffle.

Il ne dit rien, mais sa jambe et son bras se déplacèrent, et sa main se referma sur la main de Laure, son pied vint se poser contre le sien.

Dans le silence, elle l'entendit enfin respirer.

Puis, peu à peu, la pression de ses doigts se relâcha, et lentement, par petits à-coups, sa main retomba sur le matelas.

Il s'était endormi.

Les yeux grands ouverts dans le noir, elle se répétait « Laure », comme Frédéric l'avait prononcé, sa voix traînant un peu sur le « au ».

Elle n'avait plus sommeil.

Elle savait à présent qu'elle ne dormirait pas de la nuit.

Elle soupira. Elle ne pourrait pas non plus demeurer ainsi, immobile.

Doucement, elle écarta son pied, se poussa vers le bord du lit.

Elle attendit un instant.

Frédéric ne bougea pas.

Alors, elle se leva.

Les carreaux de la fenêtre, un angle, le mur, elle avançait à tâtons. Elle faillit trébucher sur les grosses chaussures. Les chaussettes de Frédéric étaient roulées en boule à l'intérieur. Elle les prit, décrocha son manteau, et sortit sans bruit.

Elle laissa la porte entrouverte. S'il se réveillait et qu'il l'appelait, elle l'entendrait.

Elle mit son manteau, enfila les chaussettes et pénétra dans la chambre voisine.

Inutile d'allumer. Les volets n'étaient pas fermés, les faibles lueurs du dehors éclairaient un peu la pièce. Laure n'avait pas besoin d'y voir davantage.

Elle s'approcha de la fenêtre et l'ouvrit.

Accoudée à la barre d'appui, elle contempla la rue, calme, déserte, le trottoir où, après qu'ils se furent embrassés, elle avait aspiré la buée blanche des lèvres de Frédéric. Et la chaussée qu'ils avaient traversée, main dans la main, pour arriver ici, à l'hôtel.

L'air glacé lui donnait les larmes aux yeux. Elle repoussa le battant.

Elle s'allongea sur le lit.

Elle voyait, près de la porte, le cintre en fil de fer qui, depuis qu'elle était entrée, n'avait cessé de se balancer. Elle ferma les yeux. Sans Frédéric, cette chambre n'était rien, qu'une chambre d'hôtel, triste et nue.

Et sans son odeur, le lit empestait l'eau de Javel. Laure frissonna. C'était presque toujours ainsi, dès qu'elle s'éloignait de lui, elle avait froid. Heureusement, les chaussettes de Frédéric lui tenaient chaud. Elle sourit. Elles étaient beaucoup trop grandes pour elle, et, dressés dans la pénombre, ses pieds ressemblaient à deux grosses oreilles de lapin.

Soudain son sourire se figea.

Elle ne pourrait pas quitter cet homme.

D'un bond, elle se leva.

Elle allait le rejoindre, il se réveillerait et elle lui parlerait.

Avant de sortir, elle s'arrêta. Elle ne reviendrait jamais dans cette chambre. Elle ne se séparerait plus de Frédéric.

Elle donna un petit coup sec au cintre, et referma la porte derrière elle.

Le mur, l'angle, la fenêtre. Laure se débarrassa de son manteau et enleva les chaussettes.

Frédéric s'était tourné sur le côté, elle se coucha contre lui, collant ses cuisses aux siennes, son ventre à ses reins, ses lèvres à sa nuque.

Comment avait-elle pu, ne serait-ce qu'un moment, se passer de sa chaleur ?

Désormais, ils dormiraient ensemble toutes les nuits.

À la place de son vieux lit déglingué, elle en achèterait un neuf, plus étroit, où, au moindre mouvement, ils se frôleraient.

Frédéric remua, les muscles de son dos bougèrent doucement contre les seins de Laure.

Elle se serra plus encore contre lui.

Pourquoi ne se réveillait-il pas ?

De sa bouche, elle lui effleura la nuque. Il pencha un peu la tête et son cou s'offrit davantage.

Dormait-il toujours ?

Les lèvres de Laure remontèrent jusqu'à la naissance des cheveux, là où ils ne sont encore que duvet.

Il frémit. Cette caresse sur ses seins, Laure respira plus fort.

Il s'écarta d'elle, s'étira.

Il s'était réveillé.

Il se retourna et ils furent face à face dans le noir. Ils demeurèrent ainsi, tout proches l'un de l'autre, immobiles.

Ils ne se voyaient pas, ils ne se touchaient pas, mais elle respirait le souffle de Frédéric, et lui, il respirait le souffle de Laure.

Et puis ils eurent au même moment le même soupir, et ils se rejoignirent.

Laure se renversa sur le dos, entraînant Frédéric. Il se dégagea aussitôt, grommela quelque chose et se leva.

Elle l'entendit farfouiller dans ses vêtements.

Elle soupira. Les capotes, ils avaient failli les oublier.

Il s'approcha d'elle et rejeta les draps.

Laure ne bougea pas. Étendue, bien à plat, elle attendait qu'il revienne s'allonger sur elle.

Elle voulait le sentir peser de tout son poids.

Il se pencha au-dessus d'elle.

Ses mains se posèrent sur les paumes ouvertes de Laure, s'y appuyèrent.

Ses coudes se fléchirent.

Et peu à peu, son corps s'abaissa, s'abaissa, jusqu'à venir recouvrir le corps de Laure.

Poitrine, ventre, cuisses, bras, il reposait tout entier sur elle.

Elle aurait aimé qu'il soit plus lourd encore.

Sa tête se souleva, ses lèvres allèrent à la rencontre des lèvres de Frédéric.

Ses jambes s'écartèrent.

Et ils furent rivés l'un à l'autre.

Ils s'embrassaient, leurs salives se confondaient.

Ils transpiraient, leurs sueurs se mêlaient.

Plus vite, plus fort, doucement, les mouvements de leurs reins toujours s'accordaient.

Soudain les cuisses de Laure enserrèrent Frédéric, l'attirant davantage.

Elle dégagea son bras, le plaqua sur sa bouche.

Sa peau, sa peau à elle, sentait l'eau de toilette, le tabac et le cuir.

Sa respiration se bloqua, ses muscles se tendirent.

L'odeur de Frédéric était enfin devenue la sienne.

Son bras retomba, ses jambes se dénouèrent.

Elle reprenait son souffle.

La bouche de Frédéric descendit le long de son cou, s'attarda sur son épaule.

Ses lèvres entrouvertes allaient et venaient, douces, légères.

Il respirait de plus en plus vite.

Brusquement, sa bouche s'immobilisa.

Se pressa sur la peau de Laure.

Elle perçut un contact sec et dur.

Et les dents de Frédéric se refermèrent sur la chair de son épaule.

Laure se raidit.

Non.

François.

Elle ne voulait pas de marques, pas de traces, rien.

Elle repoussa Frédéric.

Aussitôt, ses dents se desserrèrent, sa bouche abandonna l'épaule de Laure. Son corps parut tout à coup plus léger. Et il ne bougea plus.

Poitrine, ventre, cuisses, bras, il reposait toujours sur elle, mais ils n'étaient plus collés l'un à l'autre.

Ils étaient l'un sur l'autre, c'est tout.

Que s'était-il passé ? Pourquoi l'avait-elle repoussé ?

De toutes ses forces, elle le serra contre elle. Il se laissa faire.

Ils restèrent un instant ainsi, puis il se dégagea. Le matelas s'inclina un peu, il s'était assis sur le bord du lit.

Laure guetta la flamme du briquet, l'odeur du tabac.

Rien. Frédéric ne fuma pas.

Il se leva et sortit de la chambre.

Un long rectangle de lumière blanche apparut dans l'entrebâillement de la porte quand il appuya sur la minuterie du couloir.

Puis il y eut des bruits d'eau.

Et s'il décidait de s'en aller ?

Elle l'avait repoussé, comment pourrait-elle maintenant le retenir ?

Il revenait. La porte se referma et ce fut à nouveau l'obscurité.

Il se recoucha. Laure l'entendit retaper son oreiller.

Il ne partait pas.

Elle sursauta lorsque, d'un geste brusque, il rabattit les draps sur eux, sur leurs deux corps que séparait à présent toute la largeur du lit.

Il lui tournait le dos, elle en était sûre.

Et cette fois, il ne prononcerait pas son prénom, il ne dirait rien.

Ils ne se rapprocheraient plus.

Ce serait le silence.

Le silence. Les paupières de Laure se fermaient. La fraîcheur des draps contre ses jambes, le poids de la couverture.

Elle allait s'endormir.

Et si elle se réveillait trop tard ?

C'est ce matin qu'elle déménageait.

C'est aujourd'hui qu'elle s'installait chez François.

Non, il ne fallait pas dormir.

Elle essaya d'ouvrir les yeux mais elle n'y parvint pas.

Elle était tout engourdie, son corps refusait de bouger, et pourtant, pendant un court instant, il lui sembla que l'un de ses bras s'écartait d'elle, et se tendait vers l'autre côté du lit, là-bas, vers Frédéric.

Laure palpa son poignet gauche. Où était sa montre ?

Elle se rappela l'avoir mise dans son sac.

Elle se leva. Son sac devait être par terre, au pied du lit. Elle se baissa, tâtonna. Il était là. Elle prit sa montre.

Impossible de distinguer l'heure tant il faisait noir.

Elle plaça le cadran devant une fente des volets et ne vit qu'une seule aiguille.

Il était sept heures moins vingt-cinq.

Il fallait qu'elle rentre, les déménageurs venaient à huit heures.

Elle rassembla ses vêtements, commença à s'habiller.

Elle glissa ses bras dans les manches de son pull-over, l'éleva au-dessus de sa tête, le tira vers le bas.

De la laine se plaqua sur ses yeux, sur son nez, sur ses lèvres, recouvrit tout son visage.

C'est le col roulé de Frédéric qu'elle était en train d'enfiler.

Elle demeura un moment enveloppée dans son odeur, dans sa chaleur.

Puis, le faisant lentement glisser sur sa peau, elle enleva le pull-over de Frédéric.

Et elle mit le sien.

Frédéric dormait-il toujours ?

Laure ramassa ses escarpins, en laissa tomber un sur le sol.

Elle s'immobilisa, écouta.

Aucun bruit, pas le moindre froissement de draps, rien.

N'eût-elle trouvé son col roulé, elle aurait pu le croire parti.

Elle longea le lit.

Elle ne voyait rien.

Où était l'interrupteur de la lampe ?

Ses doigts effleurèrent le dessus de la table de nuit, rencontrèrent le briquet. Elle l'alluma et dissimula la flamme au creux de sa main.

Elle vit enfin Frédéric.

Le drap remonté jusqu'au cou, la joue sur l'oreiller, il dormait.

Elle s'agenouilla tout près de lui.

Elle s'approcha davantage. De sa bouche, elle frôlait presque son oreille.

— Frédéric.

Ses paupières closes palpitèrent. Il l'avait entendue, elle en était certaine. Mais il ne bougea pas, il n'ouvrit pas les yeux.

Il ne voulait ni l'écouter ni la voir.

Il faisait semblant de dormir.

Il souhaitait qu'elle s'en aille.

Le pouce de Laure lâcha la molette du briquet.

Elle ne se redressa pas tout de suite.

Penchée sur Frédéric, dans le noir, elle prit une inspiration, profonde, profonde.

Pour la dernière fois, elle aspira son odeur.

Puis elle attrapa son manteau et son sac, et quitta leur chambre.

Arrivée en bas de l'escalier, elle se sentit mal. Ses oreilles bourdonnaient. Elle étouffait.

Elle s'aperçut soudain qu'elle n'avait toujours pas expiré.

Elle avait retenu son souffle.

Alors ses lèvres s'entrouvrirent et, peu à peu, le plus lentement possible, elles laissèrent s'échapper l'odeur de Frédéric.

Dès que la porte vitrée se fut refermée derrière elle, le froid la saisit.

Elle mit son unique gant, plongea sa main nue dans la poche de son manteau et, sans se retourner, elle s'éloigna de l'hôtel.

Le bruit de ses talons résonnait dans la nuit.

Un croisement. Elle tourna à gauche.

Un autre. Elle hésita. À droite, sans doute.

Elle ne reconnaissait aucune de ces rues. S'ils étaient passés par là hier, elle ne s'en souvenait pas. Ils s'embrassaient, elle n'avait rien vu.

Elle aperçut une grande vitrine et sourit. Ne s'y étaient-ils pas appuyés pendant un long moment ?

Elle avança plus vite.

Parfois elle ralentissait, jetait un coup d'œil par terre.

Peut-être allait-elle retrouver son gant.

Elle commença à regarder les voitures. La sienne ne devait plus être loin.

La voilà.

Non.

Elle continua à marcher.

Maintenant, elle cherchait l'enseigne du café, elle observait chaque voiture.

Rien.

Il y avait quelqu'un sur le trottoir d'en face, une vieille dame avec un chien.

Laure traversa. Hier, elle était passée devant une station de métro. Si elle retrouvait la station, elle retrouverait sa voiture.

Elle s'approcha de la femme.

— S'il vous plaît, pourriez-vous me dire où est le métro le plus proche ?

La femme eut un mouvement de recul, elle tira sur la laisse de son chien.

— Il n'y a pas de métro, c'est la grève.

Le chien grogna. Laure n'insista pas. Elle s'éloigna.

Et si elle retournait à l'hôtel ?

Elle regarda autour d'elle.

Il y avait des rues partout, à droite, à gauche, tout droit.

Elle s'était perdue.

Elle savait à présent qu'elle ne retrouverait ni l'hôtel ni sa voiture.

Il était sept heures cinq. Elle allait rater les déménageurs.

Alors elle se mit à courir devant elle, au hasard. Elle courait, courait. Elle arriverait bien quelque part.

Tout à coup, elle déboucha sur une avenue. Celle de la pizzeria ?

Peu importe. C'était une avenue, avec des voitures qui roulaient, et quelques passants.

Laure se laissa tomber sur un banc, au bord du trottoir.

Elle était hors d'haleine, et elle transpirait.

Peu à peu, elle se calma.

Tout allait s'arranger. Elle se placerait à côté du feu rouge et elle ferait du stop. Elle rentrerait chez elle à temps.

Un taxi. Il était libre.

Elle se leva d'un bond, s'élança sur la chaussée en agitant les bras.

Il s'arrêta. Elle monta.

Lorsqu'elle lui donna son adresse, elle s'aperçut que sa voix tremblait.

Le taxi démarra.

Elle déboutonna son manteau, appuya sa tête contre la vitre.

— Ça ne va pas ?

Le chauffeur l'observait dans le rétroviseur.

Il était vieux. Son siège n'était pas recouvert de billes de bois.

— Si, ça va. Je suis juste un peu fatiguée.

Il haussa les épaules.

— Vous n'êtes pas la seule. En ce moment, tout le monde est fatigué. C'est à cause de cette grève. J'espère qu'elle ne va pas durer.

Laure ne répondit pas.

Il n'y avait pas de circulation. Ils atteindraient bientôt le boulevard où elle avait rencontré Frédéric.

Et, même dans l'autre sens, même en roulant vite, elle reconnaîtrait l'arbre près duquel il se tenait avant de monter dans sa voiture.

Sa voiture. Elle expliquerait à François qu'on la lui avait volée en bas de chez elle.

Elle effaça la buée de la vitre.

Le boulevard approchait.

Laure se cala contre la banquette.

La grève n'était pas finie, elle allait durer.

Les gens continueraient à marcher et, désormais, Laure irait comme eux, à pied. Elle se rendrait près de l'arbre et là, elle retrouverait Frédéric.

Peut-être.

Elle étendit ses jambes, ferma les yeux.

Et, du plat de la main, elle lissa sur ses cuisses sa jupe rouge.

DU MÊME AUTEUR

Aux Éditions Gallimard

UN COUPLE (repris en Folio, n° 2667).
SA FEMME, prix Médicis 1993 (repris en Folio, n° 2741).
VENDREDI SOIR.

Aux Éditions Denoël

LE CRAN D'ARRÊT (repris en Folio, n° 2614).

COLLECTION FOLIO

Dernières parutions

Impression Bussière à Saint-Amand (Cher),
le 22 octobre 1999.
Dépôt légal : octobre 1999.
Numéro d'imprimeur : 2420.
ISBN 2-07-041066-8./Imprimé en France.